Dépôt légal 1er trimestre 1987
Bibliothèque nationale du Québec
ISBN-2-920675-25-7

La Grande Collection Micro-Ondes

Repas pour 1 ou 2

Grolier Limitée

MONTRÉAL, QUÉ.

Introduction

Comment utiliser ce livre
Conçus pour vous faciliter la tâche, les livres de la *Grande Collection* présentent leurs recettes d'une manière uniforme.

Nous vous suggérons de consulter en premier lieu la fiche signalétique de la recette. Vous y trouverez tous les renseignements dont vous avez besoin pour décider si vous êtes en mesure d'entreprendre la préparation d'un plat : temps de préparation, coût par portion, degré de complexité, nombre de calories par portion et autres renseignements pertinents. Par exemple, si vous ne disposez que de 30 minutes pour préparer le repas du soir, vous saurez rapidement quelle recette convient à votre horaire.

La liste des ingrédients est toujours clairement séparée du corps du texte et, lorsque l'espace nous le permettait, nous avons ajouté une photographie de ces éléments regroupés : vous disposez donc d'une référence visuelle. Cet aide-mémoire, qui vous évite de relire la liste, constitue une autre façon d'économiser votre temps précieux.

Par ailleurs, pour les recettes comportant plusieurs étapes de préparation, nous avons illustré celles qui nous semblaient les plus importantes pour le succès de la recette ou la présentation du plat.
La cuisson de tous les plats présentés est faite dans un four à micro-ondes de 700 W. Si la puissance de votre four est différente, consultez le tableau de conversion des durées de cuisson que vous trouverez à la page 6.
Soulignons que le temps de cuisson donné dans le livre est un temps minimal. Au besoin, si la cuisson du plat ne vous semble pas suffisante, vous pourrez le remettre au four quelques minutes. En outre, le temps de cuisson peut varier selon la teneur en humidité et en gras, l'épaisseur, la forme, voire même la provenance des aliments. Aussi, avons-nous prévu, pour chaque recette, un espace vierge dans lequel vous pourrez inscrire le temps de cuisson vous convenant le mieux. Cela vous permettra d'ajouter une touche personnelle aux recettes que nous vous suggérons et de reproduire sans difficulté vos meilleurs résultats.

Bien que nous ayons regroupé les informations techniques en début de volume, nous avons parsemé l'ouvrage de petits encadrés, appelés **TRUCS MO**, expliquant des techniques particulières. Concis et clairs, ils vous aideront à mieux réussir vos mets.

Dès la préparation de la première recette, vous découvrirez à quel point la cuisine micro-ondes fait appel à des techniques simples que, dans bien des cas, vous utilisiez déjà pour la cuisson au moyen d'une cuisinière traditionnelle.
Si pour vous, comme pour nous, cuisiner est un plaisir, le faire au four à micro-ondes agrémentera encore davantage vos préparations culinaires.
Mais c'est déjà prêt.
À table.

L'éditeur

Table des matières

La Grande Collection Micro-Ondes se veut une encyclopédie complète de l'art culinaire adapté à la cuisson au four à micro-ondes. Pour la première fois, les ménages québécois pourront consulter un ouvrage exhaustif, consacré à la cuisson micro-ondes, entièrement conçu et réalisé au Québec.

Chacun des vingt-six tomes se concentre sur un thème précis, ce qui en facilite la consultation. Ainsi, par exemple, si vous cherchez des idées pour apprêter une volaille, vous n'aurez qu'à vous référer à l'un des deux livres consacrés à cette question. Il est à noter que chaque livre s'accompagne de son index et que le dernier ouvrage de la Grande Collection présente un index général de l'ensemble.

Facile à consulter, la Grande Collection Micro-Ondes, qui offre plus de mille deux cents recettes, saura devenir un outil culinaire aussi utile et indispensable que votre four à micro-ondes.
Bonne lecture et, surtout, bon appétit !

Niveaux de puissance

Toutes les recettes de ce livre ont été testées dans un four de 700 W. Comme il existe un grand nombre de fours à micro-ondes dans le commerce, avec des niveaux de puissance différents, et que les appellations de ces niveaux varient d'un fabricant à l'autre, nous avons préféré donner des pourcentages. Pour adapter les niveaux de puissance donnés, consultez le tableau ci-contre et le livret d'utilisation afférent à votre four.

Ainsi, si vous possédez un four de 500 W ou de 600 W, vous devrez majorer les temps de cuisson mentionnés d'environ 30 %. Précisons que plus la durée de cuisson est brève, plus la majoration peut être importante en termes de pourcentage. Le chiffre de 30 % ne représente donc qu'une moyenne. Consultez le tableau ci-contre pour vous aider à ce chapitre.

Tableau d'intensité

FORT - HIGH : 100 % - 90 %	Légumes (sauf pommes de terre bouilies et carottes) Soupes Sauces Fruits Coloration de la viande hachée Plat à rôtir Maïs soufflé
MOYEN - FORT - **MEDIUM HIGH : 80 % - 70 %**	Décongélation rapide de mets déjà cuits Muffins Quelques gâteaux Hot dogs
MOYEN - MEDIUM : 60 % - 50 %	Cuisson des viandes tendres Gâteaux Poissons Fruits de mer Oeufs Réchauffage des aliments Pommes de terre bouillies et carottes
MOYEN - DOUX - **MEDIUM LOW : 40 %**	Cuisson de viandes moins tendres Mijotage Fonte du chocolat
DÉCONGÉLATION - **DEFROST : 30 %** **DOUX - LOW : 20 % - 30 %**	Décongélation Mijotage Cuisson de viandes moins tendres
MAINTIEN - **WARM : 10 %**	Maintien au chaud Levage de la pâte à pain

700 W	600 W*
5 s	11 s
15 s	20 s
30 s	40 s
45 s	1 min
1 min	1 min 20 s
2 min	2 min 40 s
3 min	4 min
4 min	5 min 20 s
5 min	6 min 40 s
6 min	8 min
7 min	9 min 20 s
8 min	10 min 40 s
9 min	12 min
10 min	13 min 30 s
20 min	26 min 40 s
30 min	40 min
40 min	53 min 40 s
50 min	66 min 40 s
1 h	1 h 20 min

* Il y a peu de différence entre les durées applicables aux fours de 500 watts et ceux de 600 watts.

Table de conversion

Table de conversion des principales mesures utilisées en cuisine	Mesures liquides	Mesures de poids
	1 c. à thé . . . . 5 ml	2,2 lb . . . . 1 kg (1 000 g)
	1 c. à soupe . . . . 15 ml	1,1 lb . . . . 500 g
		0,5 lb . . . . 225 g
	1 pinte . . . (4 tasses) . . . 1 litre	0,25 lb . . . . 115 g
	1 chopine . (2 tasses) . 500 ml	1 oz . . . . 30 g
	1 tasse . . . . 250 ml	
	1/2 tasse . . . . 125 ml	
	1/4 de tasse . . . . 50 ml	

Équivalence métrique des températures de cuisson		
	49°C . . . . 120°F	120°C . . . . 250°F
	54°C . . . . 130°F	135°C . . . . 275°F
	60°C . . . . 140°F	150°C . . . . 300°F
	66°C . . . . 150°F	160°C . . . . 325°F
	71°C . . . . 160°F	180°C . . . . 350°F
	77°C . . . . 170°F	190°C . . . . 375°F
	82°C . . . . 180°F	200°C . . . . 400°F
	93°C . . . . 190°F	220°C . . . . 425°F
	107°C . . . . 200°F	230°C . . . . 450°F

Les lecteurs noteront que, dans les recettes, nous convertissons 250 ml en 1 tasse ou encore 450 g en 1 lb. Cela s'explique par le fait qu'en cuisine, il est peu pratique de donner des conversions arithmétiques justes. En effet, les instruments de mesure ne permettent pas d'obtenir des quantités aussi précises mais peu commodes que 454 g (1 lb), par exemple. Nous devons donc utiliser des équivalences approximatives, ce qui peut donner lieu à certaines contradictions arithmétiques. Par contre, du fait que les quantités sont toujours exprimées dans les deux systèmes de mesure (métrique et impérial), cette façon de procéder ne devrait poser aucune difficulté.

Les symboles

Légende des pictogrammes

Dans le but de faciliter la lecture des fiches signalétiques des recettes, nous avons prévu des pictogrammes indiquant le niveau de complexité et le coût.

Le symbole [🍎✏️] vous rappelle d'inscrire votre temps de cuisson dans l'espace prévu à cette fin.

Complexité

🍴 préparation facile

🍴🍴 difficulté moyenne

🍴🍴🍴 préparation pouvant comporter certaines difficultés

Coût par portion

$ économique

$ $ coût moyen

$ $ $ coût élevé

Cuisinez petit et réalisez de grands plats!

Peut-être venez-vous d'emménager seul et l'idée d'avoir à confectionner tous vos repas vous inquiète? Rassurez-vous!. Cette situation, partagée par plusieurs, offre des avantages méconnus. D'aucuns apprécient le fait de pouvoir s'offrir un repas de gourmet, sans avoir à consulter la maisonnée sur le choix des aliments qui entreront dans la préparation. D'autres jubilent à l'idée de se payer les «petits luxes» qu'ils reluquent depuis longtemps dans les épiceries fines, et qu'ils n'auraient certes pas les moyens d'offrir à une famille. Cependant, il y a parfois de petites ombres au tableau de la vie ménagère... Aussi, malgré le nombre croissant de personnes qui vivent seules, ou cohabitent avec une autre, on trouve difficilement, par exemple, des répertoires de préparations culinaires adaptées pour un groupe restreint, et il n'est pas toujours simple de convertir pour deux une recette conçue pour quatre ou six personnes.

Les achats, la planification hebdomadaire des menus et la préparation des repas, voilà autant d'étapes que l'on doit adapter aux besoins d'une ou deux personnes. Cependant, l'approvisionnement en denrées périssables pose parfois problème. En effet, les aliments étant souvent vendus pré-emballés dans plusieurs magasins d'alimentation, il est parfois difficile de se procurer de la nourriture en petite quantité.

Comment arriver alors à établir un menu équilibré et varié, qui s'adapte à vos besoins? C'est précisément ce dont nous allons traiter dans le présent tome consacré à la cuisine pour un et deux, qui, espérons-le, vous fournira de judicieux conseils.

Il importe avant toute chose d'établir à l'avance le choix des aliments qui composeront vos repas de la semaine, de manière à ne pas être pris au dépourvu à la dernière minute. A ce titre, une liste d'achats peut s'avérer un outil indispensable dans la planification des menus. Rédigé à votre intention, le guide d'achat à la page 12 vous fournira des renseignements utiles sur les produits à acheter et leurs caractéristiques.

Ce tome comprend aussi plusieurs tableaux qui faciliteront votre tâche au moment de quantifier les portions d'aliments, d'en évaluer les possibilités de conservation et la durée de cuisson.

D'autre part, ces techniques culinaires sont expliquées en plusieurs étapes, qu'il vous sera utile de connaître pour obtenir des résultats probants.

Bien qu'elle exige le respect de certaines règles de base, la méthode de cuisson au four à micro-ondes convient particulièrement bien aux personnes qui disposent de peu de temps pour cuisiner. Par ailleurs, une fois que vous aurez pris connaissance des quelques règles de conversion des quantités, vous saurez certainement adapter presque toutes les préparations en petit festin pour célibataire ou repas pour amoureux. Et puis, si vous habitez seul, pourquoi ne pas inviter quelques amis à déguster le gigot que vous avec obtenu à prix spécial chez le boucher? Évidemment, on ne saurait passer outre l'atmosphère entourant un souper gastronomique, un brunch dominical, ou tout simplement un dîner quotidien.

Aussi, n'hésitez pas à enjoliver votre cuisine ou votre salle à manger, pièces où vous passez, somme toute, plusieurs heures par jour à préparer et à déguster vos créations. Égayez-les de fleurs et d'accessoires colorés! Enfin, les mets les plus sobres, servis dans une vaisselle fine, revêtiront des airs de fête!

Qu'ils soient solitaires ou en tandem, à tous les gourmets, bonne chance!

La conversion :
une opération simple

Si le mot conversion est, pour vous, synonyme d'équations mathématiques compliquées, rassurez-vous : convertir un repas pour quatre en repas pour deux ne vous demandera rien d'autre qu'un peu de jugement et un petit calcul rapide.

Peut-être avez-vous déjà eu à renoncer à la préparation d'un mets dont les portions ne correspondaient ni à vos moyens ni à votre appétit ! Que de plats alléchants ont ainsi défilé dans votre tête sans jamais se rendre jusqu'à votre table, alors qu'il aurait suffi de convertir les recettes ! Nous avons donc pensé vous communiquer quelques petits trucs pratiques afin d'adapter certaines préparations.

« Cuisiner petit » comprend des avantages indéniables si l'on pense, par exemple, aux mets raffinés qu'il est difficile d'offrir à une grande famille sans défoncer le budget hebdomadaire, mais qui deviennent de petites gâteries lorsqu'on est seul ou deux à table.

Bien que compréhensible, la crainte que suscite chez certains célibataires l'achat d'une grosse pièce de viande ou d'un légume entier, n'est pas vraiment justifiée si l'on considère les méthodes de conservation très efficaces dont on dispose. Prenons la congélation par exemple ; si on en respecte les règles de base, on peut conserver un gigot pendant plusieurs mois. De même, les gros légumes tels le chou-fleur et le brocoli pourront être coupés en morceaux de taille égale et mis au congélateur. Les restes peuvent facilement servir à confectionner d'autres repas. Cette solution permet de profiter des prix spéciaux, régulièrement offerts par les marchands locaux. De plus, cela favorise la préservation des aliments saisonniers. Vous pourrez ainsi varier un menu hivernal en utilisant des légumes frais, congelés en août, ou encore vous sucrer le bec avec des framboises, cueillies plusieurs semaines auparavant.

La plupart des recettes conçues pour plusieurs personnes peuvent être doublées ou divisées, selon les besoins. Pour réduire de moitié, on peut généralement diviser par deux la quantité d'ingrédients requis. Cependant, certains produits échappent à cette règle, pour des raisons fort simples que nous allons illustrer ici avec l'exemple des œufs : si dans une préparation pour quatre personnes, il est demandé d'utiliser 3 œufs, il sera évidemment impossible de les diviser systématiquement en deux parts égales. On utilisera alors 2 œufs dans la recette réduite de moitié. De même, certains autres aliments seront ramenés à des proportions moindres, sans pour autant constituer l'exacte moitié de la quantité initiale (voir le tableau de conversion ci-dessous).

Comment réduire une recette de moitié

Quantité exigée	Quantité réduite
15 ml (1 c. à soupe)	6 ml (1 1/2 c. à thé)
60 ml (1/4 tasse)	30 ml (2 c. à soupe)
80 ml (1/3 tasse)	38 ml (2 c. à soupe + 2 c. à thé)
150 ml (3/4 tasse)	90 ml (6 c. à soupe)

De quatre à deux

Si les quantités d'aliments diminuent substantiellement lorsqu'on réduit une recette de moitié, il n'en va pas forcément de même pour les durées de cuisson. En effet, les temps peuvent varier d'une préparation à l'autre.

Plusieurs facteurs déterminent l'action des micro-ondes sur les aliments (épaisseur, densité, poids, teneur en sucre et en gras des aliments, quantité de liquide ajoutée, disposition des aliments pendant la cuisson, etc.) ; aussi est-il impossible d'établir une seule constante dans le réglage des cycles de cuisson.
Afin d'éviter les mauvaises surprises, assurez-vous de bien vérifier la durée de cuisson indiquée pour chaque recette.

Recette de poulet aux fines herbes

	pour 4 personnes	pour 2 personnes
Temps de préparation	30 min	20 min
Nombre de portions	4	2
Temps de cuisson	28 min	16 min
Temps de repos	5 min	5 min
Intensité	100 %, 70 %	100 %, 70 %

Ingrédients	pour 4 personnes	pour 2 personnes
poulet coupé en morceaux	1 poulet de 1,3 kg (3 lb)	2 demi-poitrines
huile	30 ml (2 c. à soupe)	30 ml (2 c. à soupe)
oignons émincés	250 ml (1 tasse)	125 ml (1/2 tasse)
champignons émincés	250 ml (1 tasse)	125 ml (1/2 tasse)
carottes râpées	125 ml (1/2 tasse)	50 ml (1/4 tasse)
céleri coupé en dés	2 branches	1 branche
gousse d'ail broyée	1	1 petite
vin blanc	250 ml (1 tasse)	125 ml (1/2 tasse)
persil	30 ml (2 c. à soupe)	15 ml (1 c. à soupe)
thym	2 ml (1/2 c. à thé)	1 ml (1/4 c. à thé)
feuille de laurier	1	1 petite

Votre guide d'achat

Une fois le menu hebdomadaire établi, c'est au marché que se poursuit la planification des repas. Le choix des aliments et l'évaluation des quantités requises demandent une certaine attention. C'est pourquoi il nous a semblé important de dresser une petite liste d'achat des divers aliments, frais et en conserve, qui garniront votre table et votre garde-manger.

En premier lieu, choisissez un marché où l'on peut acheter les aliments en vrac, donc en petite quantité. Cependant, si cela est impossible, n'hésitez pas à demander des portions réduites de viande, de légumes ou de fromage, lorsque vous ferez vos emplettes au supermarché. Un gérant courtois devrait se faire un plaisir de répondre à vos demandes. Mais, trêve de bavardage, commençons ensemble à faire le marché !

Les légumes

Tout d'abord, allons lorgner du côté des légumes. Bien des gens vivant seuls se privent d'acheter un brocoli ou un paquet d'épinards frais, de crainte d'en gaspiller une grande partie. Ces restrictions, bien que compréhensibles, sont toutefois injustifiées puisqu'il est possible de conserver la plupart des légumes. Cependant, il importe de les congeler le plus tôt possible après l'achat, afin de préserver toutes leurs qualités nutritives, ainsi que leur saveur. La plupart des légumes frais doivent être blanchis avant d'être congelés (voir à la page 15). Bien sûr, il est préférable de se procurer les aliments en saison. D'autre part, vous pourrez profiter des prix spéciaux qu'affichent régulièrement les marchands. Si vous achetez des légumes surgelés, choisissez ceux qui sont dans un sac plutôt que dans un emballage de carton, car il est plus facile d'en retirer la quantité désirée. Veillez à refermer hermétiquement le sac, afin que les légumes ne subissent aucune brûlure par le froid.

La viande

Une viande fraîche et de bonne qualité représentera toujours le meilleur choix. Les diverses coupes que l'on peut obtenir d'une pièce de bœuf, de porc, de veau ou d'agneau permettent de varier considérablement le menu quotidien. À l'instar des légumes, les grosses pièces de viande peuvent être taillées et congelées. Vous aurez avantage à choisir les morceaux que vous désirez consommer frais dans les parties les plus tendres de l'animal. En quantité réduite, leur prix demeure raisonnable.

Le bœuf

On recense différentes coupes du bœuf. Cependant, la coupe ne constitue pas le seul élément de choix d'une viande. Il faut aussi tenir compte de l'âge de l'animal, de la teneur en gras, de la fermeté ainsi que de la couleur de sa chair. Acheter en petite portion permet une meilleure vérification de la qualité d'un morceau, mais en cas de doute, demandez l'avis de votre boucher. Cette précaution en vaut la peine puisqu'il s'agit de vous gâter un peu !

Le porc

La viande de porc n'est pas soumise, comme celle du bœuf, à une catégorisation. Chez nous, la viande porcine est prélevée chez de jeunes bêtes, ce qui lui assure une grande tendreté. On reconnaît la qualité d'une viande de porc à sa couleur rosée et à sa texture ferme au toucher. Les côtes de la longe revêtent une teinte un peu plus blanche; quant aux parties regroupant le soc et l'épaule, elles sont généralement plus foncées.

Le veau

Comme c'est le cas pour le porc, le veau provient toujours d'un animal jeune. Ce n'est toutefois pas un indice de tendreté absolu. Ainsi, que vous choisissiez un veau plus ou moins jeune, vérifiez toujours la couleur de sa chair. Un jeune veau offrira une chair peu persillée et d'un rose uniforme.
Une viande qui présente une teinte rouge et plus persillée sera moins tendre.

L'agneau

Ayez soin de choisir une chair rosée et assez ferme. Vous reconnaîtrez une viande d'agneau défraîchie à sa texture molle. Outre les côtelettes et les cubes, un gigot provenant d'un jeune agneau suffira amplement à vos besoins, d'autant plus que vous pourrez l'apprêter avec différents plats.

La volaille

La volaille regroupe une variété étonnante de volatiles, de taille et de saveur différentes. Ici encore, vous pourrez varier votre menu, selon le goût du jour. Certains oiseaux sauvages, tels la caille et le canard qui font maintenant l'objet d'élevage, offrent une gamme de saveurs toutes aussi surprenantes les unes que les autres. Les cuisses et les poitrines constituent des portions idéales pour une ou deux personnes. Acheté entier, un oiseau peut être découpé en plusieurs morceaux et gardé au congélateur plusieurs semaines (voir le tableau à la page 14).

Le poisson

Vous aimez les produits de la mer mais vous n'êtes pas toujours inspiré quand vient le moment d'aller à la poissonnerie? Ces quelques petits conseils sauront peut-être guider votre prochain choix. Mais quel qu'il soit, assurez-vous toujours de la fraîcheur de l'aliment. Si vous achetez un poisson entier destiné à être conservé, il faudra en retirer les écailles avant de le congeler. D'autre part, l'achat de filets est recommandé puisque ceux-ci constituent des portions idéales pour une personne.

Les aliments en conserve

Les légumes, les viandes préparées et les poissons en conserve peuvent se gaspiller s'ils ne sont pas consommés dans un court délai après l'ouverture des contenants. Afin de prévenir tout gaspillage, munissez-vous de plus petites conserves. Gardez-en toujours quelques-unes en réserve, elles vous seront uiles pour compléter un repas de dernière minute.

La conservation des aliments

Toutes les opérations culinaires exigent certaines précautions. Ainsi, la congélation doit être faite selon certaines règles si l'on veut conserver aux aliments toute la fraîcheur.

Tout d'abord, la contenance des récipients destinés à la congélation ne devrait pas être très supérieure à la quantité d'aliments qu'on y place, car une grande quantité d'air favorise la formation de cristaux et risque d'altérer la nourriture. Prenez soin d'apposer une étiquette identifiant le contenu ainsi que la date de congélation sur chaque récipient. Pour s'assurer qu'on ne dépasse pas la durée maximale de conservation tolérée par chaque aliment, inscrivez aussi cette période sur l'étiquette.

En ce qui concerne les sacs à congélation, ceux qui peuvent être scellés avec un équipement approprié sont tout indiqués. Mais si vous ne disposez pas d'un tel équipement, vous obtiendrez des résultats aussi probants en vidant les sacs à congélation de leur air et en les fermant hermétiquement. Les contenants ronds (moule tubulaire, cocotte, etc.) permettent une meilleure répartition des

Conservation du porc

Coupe	Au réfrigérateur	Au congélateur
Côtes	2 à 3 jours	2 à 3 mois
Côtelettes	2 à 3 jours	3 à 4 mois
Jambon et poitrine fumée	5 à 7 jours	2 mois
Viande hachée	2 à 3 jours	2 à 3 mois
Charcuterie	4 à 5 jours	
Bacon	7 jours	À déconseiller

Conservation des volailles

Volaille fraîche	Au réfrigérateur	Au congélateur
Cailles entières	1 à 2 jours	3 mois (sous vide)
Dinde en morceaux	1 à 2 jours	2 à 3 mois*
Dinde désossée	1 à 2 jours	4 à 5 mois
Pintade entière	1 à 2 jours	3 mois (sous vide)
Poulet en morceaux	1 à 2 jours*	4 à 5 mois
Poulet désossé	1 à 2 jours	6 à 7 mois

* S'il s'agit d'une volaille fraîche qui a été dépecée puis congelée, laver les morceaux après leur décongélation.

micro-ondes et favorisent ainsi une décongélation uniforme et rapide. De plus, leur utilisation élimine le transfert des aliments d'un plat à un autre.

Les plats cuisinés (macaroni, ragoût, etc.) peuvent être enveloppés dans une pellicule plastique, préalablement placée au fond d'un plat. Il vous suffit ensuite de replier les extrémités de la pellicule qui dépassent du récipient, de bien refermer celui-ci afin d'empêcher toute infiltration d'air et de le placer au congélateur. Ainsi que nous l'avons expliqué plus haut, il convient de choisir des récipients de dimension appropriée. Les portions pour une ou deux personnes devront donc être congelées dans des petits plats.

Pour une congélation parfaite des aliments, utiliser des sacs à congélation, scellés sous vide, afin d'empêcher toute pénétration d'air ou d'humidité. À défaut d'appareil à sceller, retirer tout l'air du sac à l'aide d'une paille et le fermer hermétiquement avec une attache dépourvue de toute substance métallique.

Pour faciliter la séparation des tranches, galettes et filets de viande et de poisson, placer une feuille de papier ciré entre chacun des morceaux. Les superposer, à raison de deux à quatre par pile. Recouvrir d'une feuille de papier d'aluminium.

Les plats cuisinés et la viande hachée peuvent être congelés dans un petit moule tubulaire. À défaut de couvercle, placer le récipient dans un sac à congélation vidé de son air et le fermer hermétiquement.

La plupart des légumes doivent être blanchis avant d'être congelés. Le blanchiment arrête l'action des enzymes contenues dans les légumes, et qui causent leur détérioration et leur décoloration.
Méthode de blanchiment
Placer les légumes dans un plat approprié. Ajouter la quantité d'eau requise. Mettre au four durant la moitié de la période totale indiquée. Remuer et remettre au four jusqu'à la fin du cycle de cuisson. Plonger ensuite les légumes dans l'eau glacée. Egoutter et congeler dans des sacs scellés sous vide.

Blanchiment des légumes

(Niveau de puissance : 100 %)

Aliment	Quantité	Cocotte	Eau	Temps (min)
Asperge	450 g (1 lb)	2 litres	50 ml (1/4 tasse)	4 à 6
Brocoli*	450 g (1 lb)	1,5 litre	30 ml (2 c. à soupe)	5 à 7
Chou-fleur*	450 g (1 lb)	2 litres	30 ml (2 c. à soupe)	6 à 8
Épinard (lavé)	450 g (1 lb)	2 litres	Pas d'eau	2 à 3
Haricot	450 g (1 lb)	1,5 litres	80 ml (1/3 tasse)	4 à 11

* Le brocoli et le chou-fleur doivent être coupés en morceaux d'environ 2,5 cm (1 po).

Durée de conservation des aliments

Conservation du veau

Coupe	Au réfrigérateur	Au congélateur
Abats	1 à 2 jours	3 mois
Côtes et côtelettes	2 jours	3 à 4 mois
Côtes levées	2 jours	3 à 4 mois
Cubes	2 jours	3 à 4 mois
Escalopes	24 heures	3 mois
Rôtis	3 jours	8 à 9 mois
Tranches	3 jours	6 à 8 mois
Viande hachée	2 jours	3 à 4 mois
Viande cuite	7 jours	3 mois

Conservation du bœuf

Coupe	Au réfrigérateur	Au congélateur
Rôti	3 jours	8 à 12 mois
Bifteck	3 jours	6 à 9 mois
Viande à ragoût	2 jours	6 mois
Viande hachée	2 jours	3 à 6 mois
Abats	1 à 2 jours	3 mois
Viande cuite	7 jours	3 mois

* Bien envelopper la viande dans un emballage approprié, imperméable à l'air et à l'humidité, afin qu'elle ne subisse aucune brûlure par le froid.

Conservation des poissons frais

Espèces	Au congélateur
Poissons gras : éperlan, esturgeon, hareng, maquereau, perchaude, saumon, thon, truite	3 mois
Poissons semi-gras : flétan, sébaste, turbot	4 mois
Poissons maigres : aiglefin, doré, goberge, merluche, morue, plie	6 mois

La décongélation des aliments

Après avoir pris des précautions pour choisir minutieusement les aliments qui composeront votre menu et pour leur assurer une conservation prolongée, il serait bien mal venu de procéder à la décongélation d'une manière expéditive. Et pourtant, c'est malheureusement souvent le cas. En effet, d'aucuns croient, à tort, que la décongélation des aliments ne requiert pas de soins particuliers : erreur grave de conséquences qui exige certains éclaircissements de notre part.
Une décongélation faite négligemment, en plus d'altérer les qualités essentielles des aliments, risque de les rendre impropres à la consommation.
Rien de moins ! Alors, voyons comment on peut éviter une aussi triste expérience.
Il importe d'abord de retirer de leur emballage les aliments qui produisent beaucoup de jus en décongelant. La viande, la volaille et le poisson appartiennent à cette catégorie. Ainsi, pour empêcher que les parties baignant dans le jus décongèlent de façon

inégale, placez ces aliments sur une clayette posée au fond d'un plat, ou sur une plaque à bacon.
Le poids des aliments à décongeler mérite aussi une attention particulière.
Puisque le temps de congélation des aliments est déterminé en fonction de leur poids, il importe de connaître le poids exact de chacun avant de les mettre au four. Le tableau de décongélation présenté à la page 19 vous sera très certainement d'un grand secours pour évaluer les cycles de décongélation requis dans différents cas.
Par ailleurs, il faudra diviser le temps de décongélation indiqué en deux ou trois cycles d'exposition au four à micro-ondes. Ces cycles doivent être entrecoupés de périodes de repos d'une durée correspondant au quart du temps total de décongélation.
La disposition des aliments exposés aux micro-ondes joue un grand rôle dans ce processus. Pour obtenir une décongélation uniforme, on tentera le plus possible de disposer les aliments en cercle parce que les micro-ondes se concentrent en périphérie des plats et atteignent ainsi leur centre

avec moins d'intensité.
Par ailleurs, vous devrez aussi considérer soigneusement la disposition des aliments de forme irrégulière. La partie la plus charnue d'une côtelette, par exemple, sera placée vers l'extérieur du plat, afin que la partie la plus mince se retrouve vers le centre, là où l'action des micro-ondes est moins intense.
Enfin, notez que la dernière période de repos suivant le cycle d'exposition aux micro-ondes, fait partie intégrante du processus de décongélation.

TRUCS

Pour une décongélation parfaite
La décongélation au four à micro-ondes est bien sûr très rapide.
Toutefois, pour que la décongélation des viandes soit uniforme, il est recommandé de régler l'intensité à 30 %, pas plus.
Ne pas oublier que la viande doit être complètement décongelée avant d'être cuite.

  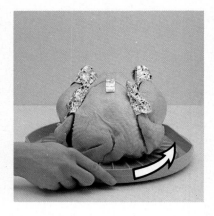

Afin d'éviter que certaines parties de viande ou de poisson ne baignent dans leur liquide pendant la décongélation, ce qui accélérerait leur cuisson, mettre les morceaux sur une clayette ou une plaque à bacon pour permettre l'écoulement des jus. À défaut d'une clayette, placer une soucoupe renversée au fond d'un plat.

Avant d'entreprendre le cycle de décongélation, protéger les parties les moins charnues des rôtis (extrémités et os) et des volailles (extrémité des cuisses, des ailes et le dessus de la poitrine le long de la crête du bréchet) avec du papier d'aluminium. Protéger de la même façon les extrémités d'un poisson entier.

À la mi-décongélation, faire pivoter le plat d'un demi-tour, afin de favoriser une distribution égale des micro-ondes sur tous les aliments et d'assurer ainsi une décongélation uniforme.

Décongélation de divers aliments

Aliment	Intensité	Temps de décongélation
Agneau		
Viande hachée	30 %	3 à 5 min/450 g (1 lb), 2 à 4 min/225 g (1/2 lb)
Côtes et côtelettes	30 %	4 à 6 min/450 g (1 lb), 3 à 5 min/225 g (1/2 lb)
Cubes	30 %	4 à 6 min/450 g (1 lb), 3 à 5 min/225 g (1/2 lb)
Tranches (longe)	30 %	5 à 7 min/450 g (1 lb), 4 à 6 min/225 g (1/2 lb)
Bœuf		
Biftecks	30 %	6 à 8 min/450 g (1 lb), 4 à 6 min/225 g (1/2 lb)
Cubes	30 %	5 à 10 min/450 g (1 lb), 4 à 8 min/225 g (1/2 lb)
Viande hachée	30 %	5 à 10 min/450 g (1 lb), 3 à 4 min/225 g (1/2 lb)
Porc		
Côtes levées	30 %	3 à 6 min/450 g (1 lb), 2 à 4 min/225 g (1/2 lb)
Côtelettes	30 %	3 à 6 min/450 g (1 lb), 2 à 4 min/225 g (1/2 lb)
Jambon (tranches)	30 %	3 à 6 min/450 g (1 lb), 2 à 4 min/225 g (1/2 lb)
Viande hachée	30 %	3 à 5 min/450 g (1 lb), 2 à 4 min/225 g (1/2 lb)

Décongélation de divers aliments

Aliment	Intensité	Temps de décongélation
Veau		
Côtes et côtelettes	30 %	3 à 6 min/450 g (1 lb), 2 à 4 min/225 g (1/2 lb)
Cubes	30 %	4 à 6 min/450 g (1 lb), 3 à 5 min/225 g (1/2 lb)
Escalopes	30 %	3 à 6 min/450 g (1 lb), 2 à 4 min/225 g (1/2 lb)
Tranches	30 %	3 à 5 min/450 g (1 lb), 2 à 4 min/225 g (1/2 lb)
Viande hachée	30 %	3 à 5 min/450 g (1 lb), 2 à 4 min/225 g (1/2 lb)
Volaille		
Cuisses de poulet		5 à 7 min
(2 cuisses de 100 g)	30 %	
Poitrines de poulet		7 à 9 min
(2 poitrines de 225 g)	30 %	
Pâtes		
Pâtes cuites		
sans sauce		
(1 portion)	70 %	3 min
(2 portions)	70 %	5 min
Pâtes cuites		
avec sauce		
(1 portion)	70 %	4 min
(2 portions)	70 %	6 min
Poissons		
Filets séparés	30 %	5 à 8 min/450 g (1 lb), 3 à 4 min/225 g (1/2 lb)
Poisson entier		
(moyen)	30 %	5 à 8 min/450 g (1 lb), 3 à 4 min/225 g (1/2 lb)
(petit)	30 %	3 à 5 min/450 g (1 lb), 2 à 3 min/225 g (1/2 lb)
Morceaux de poisson	30 %	4 à 7 min/450 g (1 lb), 3 à 4 min/225 g (1/2 lb)
Riz cuit		
125 ml (1/2 tasse)	70 %	2 à 3 min
250 ml (1 tasse)	70 %	4 à 8 min

La cuisson de vos petits festins

Pour vous assurer un régal à chaque repas, il vous sera utile de connaître quelques règles précieuses concernant la cuisson des aliments au four à micro-ondes avant de commencer à cuisiner. Comme le présent tome porte sur la cuisine pour un ou deux, soulignons tout d'abord qu'on ne divise pas nécessairement par deux le temps de cuisson d'une recette que l'on veut réduire de moitié. À cet sujet, il est fortement recommandé de vérifier minutieusement la durée de cuisson indiquée pour chaque recette. Comme c'est le cas pour les grosses quantités, le calcul du cycle de cuisson des petites portions s'effectue selon la taille, la densité ainsi que la quantité d'aliments requise. Il faudra aussi se rappeler que les aliments plus denses cuisent moins vite que ceux de consistance légère. Aussi est-il préférable de rassembler des aliments de densité semblable et de taille équivalente, si l'on veut être certain d'obtenir une cuisson uniforme. Les parties d'aliments se trouvant près des bords du plat cuisent plus rapidement que celles situées au centre, l'action des micro-ondes étant plus concentrée en périphérie des plats. Par conséquent, il est important de placer la partie charnue des aliments de forme irrégulière (brocoli entier, gigot, etc.), vers l'extérieur du plat.

Les légumes

Le four à micro-ondes, en plus d'offrir une cuisson très rapide, permet de préserver les qualités nutritives des légumes. En effet, puisqu'il n'est pas nécessaire de noyer dans une grande quantité de liquide les légumes riches en eau (courgette, épinards, etc.), ceux-ci conservent toutes leurs vitamines hydrosolubles (solubles dans l'eau). De plus, cette méthode conserve aux aliments leur couleur et leur saveur, tout en leur conférant une texture croquante. Les légumes doivent toujours être cuits à couvert, afin qu'il y ait le moins de fuites de vapeur d'eau. Consultez le tableau de cuisson à la page 105 de ce volume afin de connaître les temps de cuisson requis pour chaque aliment.

Les viandes

À l'instar de la cuisson traditionnelle, la cuisson des viandes au four à micro-ondes est fonction de la coupe de la viande ainsi que de son poids. De plus, la teneur en gras et en humidité d'une chair influera sur la durée de cuisson, ces deux substances attirant les micro-ondes. Aussi, une viande riche en gras, cuira-t-elle plus rapidement qu'une viande maigre ; il en sera de même pour une viande qui produit beaucoup de jus, ou qui est imprégnée d'une grande quantité de sucre, par exemple du jambon, puisque le sucre attire aussi les micro-ondes.

La température interne de la viande ainsi que la quantité d'os que celle-ci contient modifieront le réglage du temps de cuisson. Enfin, précisons que les viandes qui ont mariné pendant plusieurs heures sont toujours plus tendres et plus savoureuses.

La volaille

Comme la viande, il est préférable de cuire la volaille sur une clayette, ustensile qui sert à recueillir le gras de cuisson. On obtient une belle coloration dorée des morceaux de volaille en les faisant sauter dans un plat à rôtir avant d'entamer leur cuisson. On peut aussi colorer joliment la peau des volatiles en la badigeonnant avec différentes sauces (barbecue, brune, etc.), du paprika ou du beurre avant la cuisson. Comme dans le cas de certains légumes et des gigots, les morceaux de volaille de forme irrégulière devront être placés de manière qu'ils cuisent également. Il est cependant conseillé de recouvrir de papier d'aluminium les parties les moins charnues de la volaille.

Le poisson

Pourvu d'une chair très délicate, le poisson ne doit pas être trop cuit, sinon il se desséchera. Aussi aurez-vous intérêt à en vérifier régulièrement la cuisson. Elle est achevée lorsque la chair du poisson se détache aisément avec une fourchette.

Les viandes doivent être surélevées dans le plat de cuisson. Pour la cuisson des rôtis et des gigots, utiliser une clayette ou une plaque à bacon afin de permettre l'écoulement des jus de cuisson. Les parties de viande qui tremperaient dans ce liquide pourraient cuire plus vite que les autres. À défaut d'une clayette, utiliser une assiette renversée au fond du plat de cuisson.

Afin d'uniformiser l'effet des micro-ondes sur un gigot, protéger la partie moins charnue en la recouvrant de papier d'aluminium sur une surface de 5 cm environ (2 pouces). Placer la surface la plus grasse contre le fond du plat.

Pour assurer une cuisson uniforme de la viande, retourner les morceaux sur eux-mêmes avant de faire pivoter le plat d'un demi-tour à la mi-cuisson.

Cretons

Complexité	 (icône : fourchette et couteau)
Temps de préparation	5 min*
Coût par portion	**$**
Nombre de portions	2
Valeur nutritive	402 calories 2,5 g de protéines 25,7 g de lipides
Équivalences	3 oz de viande 3 portions de gras
Temps de cuisson	10 min
Temps de repos	aucun
Intensité	100 %
Inscrivez ici votre temps de cuisson	(icône : crayon et pomme)

* **Les cretons doivent être réfrigérés avant d'être servis.**

Ingrédients

125 ml (1/2 tasse) de mie de pain
125 ml (1/2 tasse) de lait
225 g (1/2 lb) de porc haché
1 oignon râpé
1 ml (1/4 c. à thé) de clou de girofle
1 ml (1/4 c. à thé) de gingembre
1 gousse d'ail broyée
sel
poivre

Préparation

— Dans un bol, réunir la mie de pain et le lait ; remuer pour bien mélanger.
— Incorporer tous les autres ingrédients.
— Cuire de 8 à 10 minutes à 100 %, en remuant toutes les 4 minutes.
— Déchiqueter avec une fourchette ; pour obtenir une consistance onctueuse, passer la préparation au mélangeur.
— Laisser refroidir.

Mousse de saumon

Complexité	🍴🍴
Temps de préparation	15 min*
Coût par portion	$
Nombre de portions	2
Valeur nutritive	345 calories 32 g de protéines 23,2 g de lipides
Équivalences	4 oz de viande 1 1/2 portion de gras
Temps de cuisson	2 min
Temps de repos	aucun
Intensité	100 %
Inscrivez ici votre temps de cuisson	

* Cette mousse doit être réfrigérée de 3 à 4 heures avant d'être servie.

Ingrédients
1 boîte de 213 ml (7 1/2 oz)
de saumon
10 ml (2 c. à thé) de gélatine
125 ml (1/2 tasse) d'eau
125 ml (1/2 tasse) de crème
à 15 %
2 jaunes d'œufs
5 ml (1 c. à thé) de jus de
citron
2 blancs d'œufs
sel
poivre

Préparation
— Saupoudrer la gélatine à
la surface de l'eau et
mettre de côté
5 minutes; remuer.
— Chauffer 1 minute à
100 % et remuer pour
dissoudre la gélatine;
réserver.
— Chauffer la crème
1 minute à 100 %; en
battant avec un fouet,
ajouter les jaunes d'œufs,
la gélatine et le jus de
citron.
— Émietter le saumon et le
broyer pour le réduire

en purée; ajouter à
l'autre préparation et
assaisonner.
— Monter les blancs d'œufs
en neige jusqu'à ce que
des pics fermes puissent
être dressés et les
incorporer délicatement
au mélange de saumon.
— Refroidir un moule en le
passant sous l'eau froide
et y verser la
préparation.
— Réfrigérer de 3 à
4 heures avant de servir.

La mousse de saumon est un mets facile à réussir et qui fait appel à des ingrédients courants. Pour épargner temps et manipulations, les réunir avant d'entreprendre la recette.

Émietter le saumon et le broyer pour le réduire en purée.

Incorporer délicatement les blancs d'œufs montés en neige au mélange de saumon.

Pain à l'ail

Complexité	
Temps de préparation	15 min
Coût par portion	$
Nombre de portions	2
Valeur nutritive	502 calories 38 g de glucides 34 g de lipides
Équivalences	2 1/2 portions de pain 7 portions de gras
Temps de cuisson	6 min
Temps de repos	17 min
Intensité	100 %
Inscrivez ici votre temps de cuisson	

Ingrédients
1 baguette de pain italien
3 gousses d'ail broyées
90 ml (6 c. à soupe) de beurre
15 ml (1 c. à soupe) de parmesan râpé
5 ml (1 c. à thé) d'épices à l'italienne
2 ml (1/2 c. à thé) de paprika
15 ml (1 c. à soupe) de persil

Préparation
— Mettre le beurre et l'ail dans un plat ; cuire de 1 1/2 à 2 minutes, en remuant 1 fois pendant la cuisson.

— Ajouter le parmesan, les épices, le paprika et le persil ; remuer pour mélanger.
— Laisser reposer 15 minutes.
— Couper la baguette en diagonale, sans trancher complètement la croûte, pour qu'elle conserve sa forme.
— Badigeonner les tranches du mélange préparé et cuire de 3 à 4 minutes à 100 %.
— Laisser reposer 2 minutes.

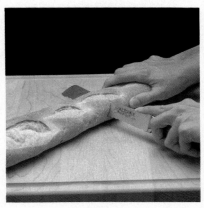

Couper la baguette en diagonale, sans trancher complètement la croûte, pour qu'elle conserve sa forme.

28

TRUCS

Quelques trucs de congélation

Afin d'éviter que les pâtes et le riz ne subissent une surcuisson s'ils sont destinés à être réchauffés ultérieurement, réduire le cycle de cuisson prévu initialement. La cuisson s'achèvera lors du réchauffage et ces féculents conserveront ainsi une consistance ferme et agréable.

Les plats cuisinés qui doivent être garnis de chapelure ou de fromage râpé seront meilleurs si on fait cette opération juste avant de les mettre au four.

Les aliments qui risquent de se dessécher au congélateur peuvent être préalablement enduits d'une substance qui humidifie. Par exemple, la peau d'un poulet recouverte d'une fine couche d'huile gardera une belle texture, même après une longue période de congélation.

Les sauces qui doivent être épaissies le seront préférablement avec de la farine plutôt qu'avec de la fécule de maïs. En effet, si elle demeure trop longtemps au congélateur, la fécule de maïs se décomposera dans la préparation.

Soufflé aux tomates

Complexité	🍴🍴
Temps de préparation	20 min
Coût par portion	**$**
Nombre de portions	2
Valeur nutritive	211 calories 12,6 g de protéines 13,1 g de glucides
Équivalences	2 oz de viande 1 portion de légumes 1 portion de gras
Temps de cuisson	4 h 30 min
Temps de repos	1 min
Intensité	100 %, 50 %
Inscrivez ici votre temps de cuisson	

Ingrédients
2 grosses tomates
2 petits œufs
10 ml (2 c. à thé) de beurre
10 ml (2 c. à thé) de farine
75 ml (1/3 tasse) de lait
30 ml (2 c. à soupe) de fromage cottage
15 ml (1 c. à soupe) de parmesan râpé
1 pincée de thym
5 ml (1 c. à thé) de persil
sel
poivre
Sauce
5 ml (1 c. à thé) de vinaigre de vin
15 ml (1 c. à soupe) de ketchup
1 pincée de basilic

Préparation
— Évider les tomates et réserver la pulpe ; mettre de côté.
— Séparer les blancs des jaunes d'œufs ; mettre de côté.
— Fondre le beurre 30 secondes à 100 % ; ajouter la farine et mélanger.
— En battant avec un fouet, incorporer le lait.
— Cuire de 45 à 60 secondes à 100 %, en remuant 1 fois pendant la cuisson.
— Ajouter le fromage cottage, le parmesan, le thym et le persil ; remuer.

— Incorporer les jaunes d'œufs, assaisonner et réserver le mélange.
— Monter les blancs d'œufs en neige.
— Mélanger les ingrédients de la sauce.
— Incorporer 5 ml (1 c. à thé) de sauce aux blancs d'œufs ; réserver le reste de sauce.
— Réunir délicatement les 2 mélanges et verser dans les tomates.
— Disposer les tomates dans un plat et cuire de 2 à 3 minutes à 50 %, en

faisant pivoter le plat
d'un demi-tour à la
mi-cuisson.
— Laisser reposer 1 minute.
— Passer la pulpe au tamis
et la mélanger au reste
de sauce.
— Servir les tomates
accompagnées de cette
préparation.

*Pour réussir cette recette raffinée,
rassembler d'abord ces ingrédients.*

*Verser la préparation dans les
tomates et procéder à la cuisson.*

Bœuf à l'orange

Complexité	🍴
Temps de préparation	15 min
Coût par portion	$
Nombre de portions	2
Valeur nutritive	350 calories 30,9 g de protéines 17 g de lipides
Équivalences	3 oz de viande 1/2 portion de légumes 1/2 portion de fruits 2 portions de gras
Temps de cuisson	27 min
Temps de repos	3 min
Intensité	100 %, 50 %, 70 %
Inscrivez ici votre temps de cuisson	

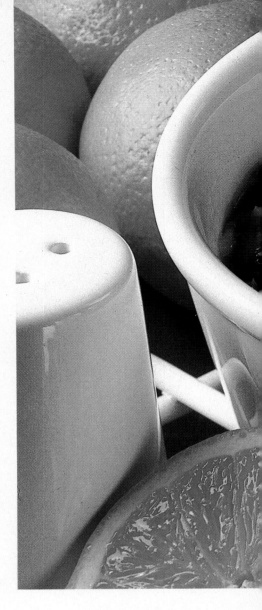

Ingrédients

225 g (1/2 lb) de cubes de
bœuf de 1,5 cm (1/2 po)
22 ml (1 1/2 c. à soupe) de
farine
sel
poivre
30 ml (2 c. à soupe) de
beurre
1 petit oignon, finement
haché
1/2 poivron vert, finement
haché
160 ml (2/3 tasse) de
bouillon de bœuf
le zeste, le jus et la pulpe
d'une orange

Préparation

— Saler et poivrer la
farine; fariner les cubes
de viande.
— Préchauffer le plat à rôtir
7 minutes à 100 %; y
mettre le beurre et
chauffer 30 secondes à
100 %.
— Saisir les cubes de
viande; ajouter l'oignon
et le poivron.
— Couvrir et cuire de 5 à
7 minutes à 50 %, en
remuant 1 fois pendant
la cuisson.

— Ajouter le bouillon ainsi
que le zeste, le jus et la
pulpe de l'orange;
remuer vigoureusement.
— Couvrir et cuire le tout à
70 % de 15 à 20 minutes,
ou jusqu'à ce que la
viande soit tendre, en
remuant 2 fois pendant
la cuisson.
— Laisser reposer
3 minutes.

Cette recette facile à réaliser fait appel à des ingrédients courants.

Fariner les cubes de viande avant de les saisir dans le plat à rôtir préchauffé contenant du beurre.

Après avoir saisi la viande, ajouter l'oignon et le poivron.

Roulés de bœuf au saucisson de Bologne

Complexité	
Temps de préparation	15 min
Coût par portion	$
Nombre de portions	2
Valeur nutritive	399 calories 22,6 g de protéines 22 g de glucides
Équivalences	3 oz de viande 2 portions de légumes 1/2 portion de pain 2 1/2 portions de gras
Temps de cuisson	9 min
Temps de repos	2 min
Intensité	100 %, 70 %
Inscrivez ici votre temps de cuisson	

Ingrédients
115 g (1/4 lb) de bœuf haché
4 tranches de saucisson de Bologne
30 ml (2 c. à soupe) d'oignon finement haché
30 ml (2 c. à soupe) de céleri finement haché
30 ml (2 c. à soupe) de riz instantané
30 ml (2 c. à soupe) de sauce chili
250 ml (1 tasse) de concentré de soupe aux tomates
15 ml (1 c. à soupe) de persil séché
sel
poivre

Préparation
— Dans un bol, mélanger le bœuf, l'oignon, le céleri, le riz et la sauce chili.
— Garnir chaque tranche de saucisson du quart de la préparation.
— Rouler les tranches et les attacher avec un cure-dents.
— Disposer les roulés dans un plat et réserver.
— Ajouter le persil à la soupe aux tomates et assaisonner.
— Cuire 3 minutes à 100 %, en remuant 1 fois pendant la cuisson.
— Verser la sauce sur les roulés.
— Couvrir et cuire le tout de 4 à 6 minutes à 70 %, en prenant soin de déplacer les roulés qui sont au centre du plat vers l'extérieur après 3 minutes.
— Laisser reposer 3 minutes.

Cette recette économique se prépare en un tournemain. Voici les ingrédients qu'il faut rassembler avant de l'entreprendre.

Rouler les tranches de saucisson et les attacher avec un cure-dents.

TRUCS

Le réchauffage de petites portions

Le réchauffage d'une petite portion s'effectue plus rapidement au four à micro-ondes que le réchauffage d'un plat pour plusieurs personnes. Il convient de calculer 1 minute par portion d'aliments qui sont à la température ambiante ou 2 minutes s'ils ont été réfrigérés.

Bœuf bourguignon

Complexité	
Temps de préparation	20 min
Coût par portion	$ $
Nombre de portions	2
Valeur nutritive	445 calories 27,7 g de protéines 12,7 g de glucides
Équivalences	3 oz de viande 1 1/2 portion de légumes 1/2 portion de pain 4 portions de gras
Temps de cuisson	38 min
Temps de repos	5 min
Intensité	100 %, 50 %
Inscrivez ici votre temps de cuisson	

Ingrédients
225 g (1/2 lb) de cubes de bœuf
30 ml (2 c. à soupe) de farine
30 ml (2 c. à soupe) de beurre
15 ml (1 c. à soupe) d'huile
50 ml (1/4 tasse) de blanc de poireau émincé
50 ml (1/4 tasse) de petits oignons blancs
50 ml (1/4 tasse) de carottes finement tranchées
1 gousse d'ail broyée
250 ml (1 tasse) de vin rouge
1 pincée de marjolaine
15 ml (1 c. à soupe) de persil
sel
poivre
15 ml (1 c. à soupe) de cognac

Préparation
— Fariner les cubes de viande.
— Préchauffer le plat à rôtir 7 minutes à 100 %, y mettre le beurre et chauffer 30 secondes à 100 %.
— Saisir les cubes de viande et les retirer ; disposer dans une cocotte et réserver.
— Chauffer le plat à rôtir 4 minutes à 100 % et y verser l'huile.
— Saisir tous les légumes et l'ail.
— Couvrir et cuire 4 minutes à 100 %, en remuant 1 fois pendant la cuisson.
— Ajouter le vin, la marjolaine et le persil ; assaisonner.
— Cuire 3 minutes à 100 %.
— Chauffer le cognac 20 secondes à 100 %, le flamber et le verser sur les cubes de viande.
— Ajouter le mélange de légumes et régler l'intensité à 50 %.
— Cuire de 20 à 30 minutes, en remuant 1 fois pendant la cuisson.
— Laisser reposer 5 minutes.

Casserole de bœuf haché

Complexité	
Temps de préparation	20 min
Coût par portion	$
Nombre de portions	2
Valeur nutritive	414 calories 25 g de protéines 14,3 g de glucides
Équivalences	3 oz de viande 3 portions de légumes 3 portions de gras
Temps de cuisson	18 min
Temps de repos	2 min
Intensité	100 %
Inscrivez ici votre temps de cuisson	

Ingrédients
225 g (1/2 lb) de bœuf haché
30 ml (2 c. à soupe) de beurre
50 ml (1/4 tasse) d'oignons émincés
50 ml (1/4 tasse) de pommes de terre coupées en cubes
50 ml (1/4 tasse) de carottes coupées en cubes
50 ml (1/4 tasse) de rutabaga coupé en cubes
160 ml (2/3 tasse) de sauce tomate
1 pincée de marjolaine
1 pincée de basilic
1 pincée d'origan
sel
poivre

Préparation
— Mettre le beurre dans un plat et y ajouter tous les légumes.
— Couvrir et cuire de 4 à 6 minutes à 100 %, en remuant 1 fois pendant la cuisson; réserver.
— Dans un autre plat, cuire le bœuf de 4 à 5 minutes à 100 %, en déchiquetant la viande avec une fourchette 1 fois pendant la cuisson et à la fin.
— Ajouter le bœuf aux légumes ainsi que tous les autres ingrédients; remuer pour mélanger.
— Cuire le tout de 5 à 7 minutes à 100 %, en remuant 1 fois pendant la cuisson.
— Laisser reposer 2 minutes avant de servir.

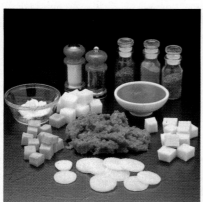

Cette recette sans prétention est facile à réaliser et peut être obtenue en moins de 25 minutes. Voici les ingrédients qui la composent.

À couvert, cuire l'oignon, les pommes de terre, les carottes et le rutabaga avec le beurre.

Déchiqueter la viande avec une fourchette 1 fois pendant la cuisson et à la fin.

Poulet au cumin

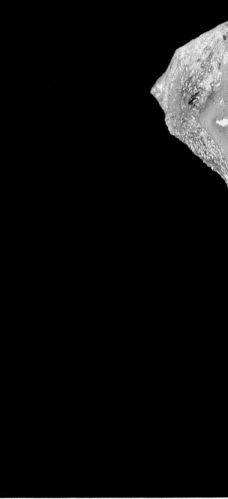

Complexité	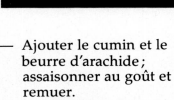
Temps de préparation	10 min
Coût par portion	**$**
Nombre de portions	2
Valeur nutritive	386 calories 31,6 g de protéines 26 g de lipides
Équivalences	3 oz de viande 1/2 portion de légumes 4 portions de gras
Temps de cuisson	16 min
Temps de repos	3 min
Intensité	100 %, 70 %
Inscrivez ici votre temps de cuisson	

Ingrédients

2 demi-poitrines de poulet, sans peau
45 ml (3 c. à soupe) de beurre
1 petit oignon, émincé
15 ml (1 c. à soupe) de farine
125 ml (1/2 tasse) de bouillon de poulet
2 ml (1/2 c. à thé) de cumin
10 ml (2 c. à thé) de beurre d'arachide
15 ml (1 c. à soupe) d'arachides
poivre

Préparation

— Préchauffer le plat à rôtir 7 minutes à 100 %, y mettre le beurre et chauffer 30 secondes à 100 %.
— Saisir les demi-poitrines de poulet, les retirer et les réserver.
— Faire revenir l'oignon dans le plat à rôtir ; couvrir et cuire 2 minutes à 100 %.
— Saupoudrer de farine et remuer pour mélanger.
— Ajouter le bouillon et remuer à nouveau.
— Cuire 2 minutes à 100 %, en remuant 1 fois pendant la cuisson.
— Ajouter le cumin et le beurre d'arachide ; assaisonner au goût et remuer.
— Remettre le poulet dans le plat, couvrir et régler l'intensité à 70 %.
— Cuire de 8 à 12 minutes, en faisant pivoter le plat d'un demi-tour à la mi-cuisson.
— Saupoudrer d'arachides et couvrir à nouveau.
— Laisser reposer 3 minutes avant de servir.

La combinaison de ces ingrédients permet d'obtenir en moins d'une demi-heure un mets des plus originaux.

Après avoir fait cuire les oignons 2 minutes à 100 %, saupoudrer de farine.

Remettre le poulet dans le plat et procéder à la dernière étape de la cuisson.

Poulet à la chinoise

Complexité	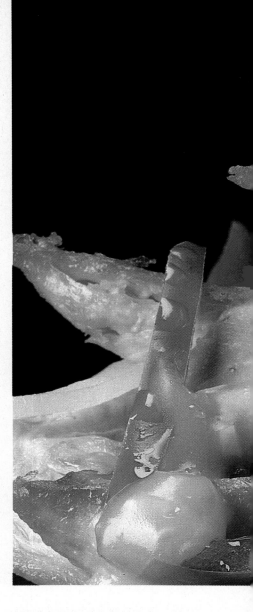
Temps de préparation	20 min
Coût par portion	$
Nombre de portions	2
Valeur nutritive	444 calories 29,5 g de protéines 11,8 g de glucides
Équivalences	3 oz de viande 2 portions de légumes 4 portions de gras
Temps de cuisson	7 min
Temps de repos	3 min
Intensité	100 %
Inscrivez ici votre temps de cuisson	

Ingrédients

225 g (1/2 lb) de blanc de poulet, coupé en lanières
50 ml (1/4 tasse) d'huile
1/2 poivron vert coupé en lanières
1/2 poivron rouge coupé en lanières
1 petit oignon émincé
2 ml (1/2 c. à thé) de gingembre finement haché
1/2 gousse d'ail finement hachée
75 ml (1/3 tasse) de bouillon de poulet
15 ml (1 c. à soupe) de fécule de maïs
30 ml (2 c. à soupe) d'eau froide
4 champignons émincés

Préparation

— Préchauffer le plat à rôtir 7 minutes à 100 %, y verser l'huile et chauffer 30 secondes à 100 %.
— Saisir le poulet, les poivrons et l'oignon ; ajouter le gingembre et l'ail puis mélanger.
— Incorporer le bouillon ; couvrir et cuire de 3 à 5 minutes à 100 %, en remuant 1 fois pendant la cuisson.
— Délayer la fécule de maïs dans l'eau et incorporer au mélange.
— Cuire 2 minutes à 100 %, en remuant 1 fois pendant la cuisson.
— Ajouter les champignons et remuer.
— Couvrir et laisser reposer 3 minutes.

Pour épargner temps et manipulations, rassembler les ingrédients nécessaires avant de préparer la recette.

Saisir le poulet, les poivrons et l'oignon dans le plat à rôtir contenant de l'huile.

Ajouter les champignons, couvrir et laisser reposer 3 minutes pour achever la cuisson.

Paupiettes de poulet

Complexité	🍴🍴
Temps de préparation	15 min
Coût par portion	**$**
Nombre de portions	2
Valeur nutritive	398 calories 33,3 g de protéines 2,4 mg de fer
Équivalences	3 oz de viande 1 portion de légumes 1 portion de pain 1 1/2 portion de gras
Temps de cuisson	12 min
Temps de repos	aucun
Intensité	100 %, 90 %
Inscrivez ici votre temps de cuisson	

Ingrédients
2 poitrines de poulet désossées, sans peau
15 ml (1 c. à soupe) de beurre
30 ml (2 c. à soupe) de poivron vert haché
30 ml (2 c. à soupe) de poivron rouge haché
30 ml (2 c. à soupe) de champignons hachés
30 ml (2 c. à soupe) de céleri haché

1/2 gousse d'ail broyée
125 ml (1/2 tasse) de chapelure fine
sel
poivre
paprika

Sauce Béchamel
10 ml (2 c. à thé) de beurre
10 ml (2 c. à thé) de farine
125 ml (1/2 tasse) de lait
sel
poivre

Préparation
— Préparer d'abord la béchamel en faisant fondre le beurre dans un plat 30 secondes à 100 %.
— Ajouter la farine et bien mélanger.
— Incorporer le lait et battre à l'aide d'un fouet ; assaisonner.
— Cuire le tout de 1 à 2 minutes à 100 %, en fouettant 2 fois pendant la cuisson ; réserver.
— Pour préparer les paupiettes, mettre le beurre dans un plat et ajouter tous les légumes

ainsi que l'ail; couvrir et
cuire de 2 à 3 minutes à
100 %, en remuant 1 fois
pendant la cuisson.
— Ajouter la chapelure et
assaisonner; mélanger
et réserver.
— Disposer les poitrines de
poulet entre 2 feuilles de
papier ciré et les
marteler pour les
amincir.
— Répartir une égale
quantité de légumes sur
chaque paupiette, les
rouler et les attacher
avec un cure-dents.
— Saupoudrer les

paupiettes de paprika et
les placer sur une
clayette déposée dans
un plat.
— Couvrir et cuire
2 minutes à 90 %.
— Faire pivoter le plat d'un
demi-tour, couvrir à
nouveau et poursuivre
la cuisson de 2 à
4 minutes.
— Chauffer la sauce
Béchamel 1 minute à
100 %, en remuant 1 fois
pendant la cuisson.
— Servir les paupiettes
nappées de béchamel.

*Nul doute que cette recette au goût
incomparable sera un franc succès.
Réunir d'abord ces ingrédients avant
de la préparer.*

49

Poulet de Cornouailles farci

Complexité	
Temps de préparation	20 min
Coût par portion	$
Nombre de portions	2
Valeur nutritive	440 calories 40,7 g de protéines 3,1 mg de fer
Équivalences	6 oz de viande
Temps de cuisson	25 min
Temps de repos	5 min
Intensité	70 %
Inscrivez ici votre temps de cuisson	

Ingrédients

1 poulet de Cornouailles de 900 g (2 lb)
50 ml (1/4 tasse) de mie de pain
50 ml (1/4 tasse) de lait
50 ml (1/4 tasse) de chair à saucisse
1 petit oignon, finement haché
1 gousse d'ail broyée
1 petit œuf
paprika

Préparation

— Imbiber la mie de pain de lait et ajouter la chair à saucisse, l'oignon, l'ail et l'œuf; mélanger.
— Farcir le poulet et le brider; saupoudrer de paprika.
— Disposer le poulet sur une clayette, poitrine en dessous.
— Sans couvrir, cuire 10 minutes à 70 %.
— Retourner le poulet, poitrine au-dessus.
— Poursuivre la cuisson de 10 à 15 minutes à 70 %.
— Laisser reposer 5 minutes.

Poulet de Cornouailles farci

Il suffit de rassembler ces ingrédients pour obtenir en moins d'une heure un mets hautement raffiné.

Mélanger tous les ingrédients de la farce : mie de pain et lait, chair à saucisse, oignon, ail et œuf.

Farcir le poulet du mélange.

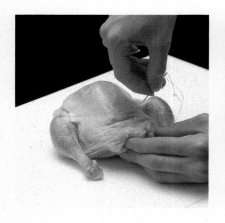

Brider le poulet pour lui garder sa forme pendant la cuisson.

Disposer le poulet sur une clayette, poitrine en dessous.

Entre les 2 étapes de la cuisson placer le poulet sur la poitrine.

TRUCS

La décongélation des morceaux de poulet

Pour décongeler des morceaux de poulet, retirer les attaches métalliques s'il y a lieu, et placer le paquet enveloppé au four. Déballer le paquet dès que possible.

À la mi-décongélation, faire pivoter le paquet d'un demi-tour, l'égoutter et poursuivre la décongélation le quart du temps qu'il reste. Séparer les morceaux et terminer la décongélation en prenant soin de placer les parties les plus denses vers l'extérieur. Laisser reposer le poulet

5 minutes et le laver à l'eau froide avant la cuisson. Ne pas oublier de diviser le temps de décongélation en plusieurs cycles égaux entrecoupés de périodes de repos équivalentes au quart du temps total de décongélation.

Rouleaux de poulet au crabe

Ingrédients

2 demi-poitrines de poulet
115 g (4 oz) de chair de
crabe
2 oignons verts émincés

15 ml (1 c. à soupe) de
persil
1 gros œuf, battu
50 ml (1/4 tasse) de
chapelure

Complexité	🍴🍴
Temps de préparation	20 min
Coût par portion	$ $
Nombre de portions	2
Valeur nutritive	285 calories 41,8 g de protéines 2,2 mg de fer
Équivalences	3,5 oz de viande 1/4 portion de pain
Temps de cuisson	10 min
Temps de repos	2 min
Intensité	70 %
Inscrivez ici votre temps de cuisson	

Préparation

— Désosser les
demi-poitrines de poulet
et enlever la peau.
— Placer le poulet entre
2 feuilles de papier ciré
et marteler pour l'amincir
le plus possible, en
prenant soin de ne pas
le déchiqueter.
— Dans un bol, réunir la
chair de crabe, l'oignon
vert, le persil et la moitié
de l'œuf battu ;
mélanger.
— Étendre une mince
couche de farce sur
chaque demi-poitrine.
— Rouler les poitrines en
serrant bien et les
attacher avec un
cure-dents.
— Passer chaque rouleau
dans ce qui reste d'œuf
battu, puis dans la
chapelure.
— Disposer les rouleaux
sur une clayette et cuire
4 minutes à 70 %.
— Faire pivoter la clayette
d'un demi-tour et
poursuivre la cuisson à
70 % de 4 à 6 minutes.
— Laisser reposer
2 minutes.

Côtes levées

Complexité	🍴
Temps de préparation	10 min
Coût par portion	$
Nombre de portions	2
Valeur nutritive	383 calories 9,1 g de protéines 4,4 mg de fer
Équivalences	2 oz de viande 2 portions de légumes 3 portions de fruits
Temps de cuisson	37 min
Temps de repos	5 min
Intensité	70 %, 50 %
Inscrivez ici votre temps de cuisson	

Ingrédients

900 g (2 lb) de côtes levées, courtes
125 ml (1/2 tasse) d'eau
1 oignon finement haché
2 gousses d'ail finement hachées
50 ml (1/4 tasse) de ketchup
50 ml (1/4 tasse) de cassonade
50 ml (1/4 tasse) de mélasse
50 ml (1/4 tasse) de jus de citron
5 ml (1 c. à thé) de moutarde sèche

Préparation

— Déposer les côtes levées dans un plat et y verser l'eau.
— Couvrir et cuire de 14 à 17 minutes à 70 %, en remuant 1 fois pendant la cuisson.
— Pendant ce temps, réunir tous les autres ingrédients dans un bol pour préparer la sauce.
— Retirer les côtes levées et les égoutter.
— Verser la sauce sur les côtes levées et mélanger.
— Cuire de 15 à 20 minutes à 50 %, en remuant 2 fois pendant la cuisson.
— Laisser reposer 5 minutes.

Nul doute que cette recette ajoutera une note d'exotisme à vos menus. Voici les ingrédients nécessaires à sa réalisation.

Cuire les côtes levées dans l'eau, de 14 à 17 minutes à 70%.

Verser la sauce sur les côtes après les avoir égouttées.

Remuer les côtes 2 fois pendant la dernière étape de la cuisson afin d'obtenir une cuisson uniforme.

Porc aux pruneaux

Complexité	🍴
Temps de préparation	15 min*
Coût par portion	$
Nombre de portions	2
Valeur nutritive	582 calories 29,8 g de protéines 2,2 mg de fer
Équivalences	3 oz de viande 1 1/2 portion de fruits 6 portions de gras
Temps de cuisson	24 min
Temps de repos	aucun
Intensité	100 %, 50 %
Inscrivez ici votre temps de cuisson	

* Les pruneaux doivent tremper de 8 à 10 heures avant la cuisson.

Ingrédients
2 côtelettes de porc papillon
6 pruneaux
5 ml (1 c. à thé) de jus de citron
30 ml (2 c. à soupe) de farine
sel
poivre
50 ml (1/4 tasse) de beurre
50 ml (1/4 tasse) de cidre
15 ml (1 c. à soupe) de gelée de groseille
50 ml (1/4 tasse) de crème à 15 %
15 ml (1 c. à soupe) de persil

Préparation
— Mettre les pruneaux et le jus de citron dans un bol ; ajouter suffisamment d'eau froide pour couvrir le

tout et laisser tremper
de 8 à 10 heures.
— Après ce temps, chauffer
les pruneaux de 8 à
10 minutes à 100 % pour
porter à ébullition, en
remuant 2 fois pendant
la cuisson ; réserver.
— Mélanger la farine, le sel
et le poivre ; réserver.
— Préchauffer le plat à rôtir
7 minutes à 100 %, y
mettre le beurre et
chauffer 30 secondes à
100 %.
— Saisir les côtelettes de
porc, les retirer et les
réserver.
— Saupoudrer la farine au
fond du plat et mélanger.
— Verser le cidre et battre
avec un fouet ; cuire
1 minute à 100 %.

— Ajouter les côtelettes,
couvrir et régler
l'intensité à 50 %.
— Cuire de 10 à
12 minutes, en
retournant les côtelettes
à la mi-cuisson.
— Retirer les côtelettes et
les garder au chaud.
— Ajouter la gelée de
groseille et la crème au
jus de cuisson, remuer
et cuire 1 minute à
100 %.
— Ajouter le persil ; si la
consistance de la sauce
est trop épaisse, y
ajouter un peu de jus
des pruneaux.
— Servir les côtelettes
accompagnées de la
sauce et des pruneaux
égouttés.

TRUCS

**Température des aliments
à cuire**
Quels que soient les plats à
préparer, il importe de
retenir que les aliments
congelés nécessitent un
temps de cuisson plus long
que les aliments demeurés
à la température ambiante.
Il faudra toujours garder
en mémoire que les temps
de cuisson indiqués dans
les recettes du présent
tome valent pour des
aliments non congelés.
Aussi, faudra-t-il vérifier
les temps de cuisson
requis dans le cas
d'aliments congelés ou
surgelés.

Porc aux pruneaux

Ce porc aux pruneaux deviendra le mets tout désigné de vos tête-à-tête. Voici les ingrédients qu'il faut réunir avant de le préparer.

Après avoir fait tremper les pruneaux de 8 à 10 heures dans le jus de citron et l'eau, porter à ébullition.

Retourner les côtelettes à la mi-cuisson pour assurer une cuisson uniforme.

TRUCS

La sonde thermique

Certains fours sont munis d'une sonde permettant de régler la cuisson en fonction de la température interne de la viande. Au moment de mettre la pièce au four, y insérer la sonde jusqu'au centre, en évitant qu'elle ne soit à proximité d'un os ou du gras, ce qui fausserait la lecture, et régler ensuite la température interne à atteindre. Lorsque la viande a atteint le degré de température désiré, le four s'arrête automatiquement.

Pour obtenir une lecture précise et, par conséquent, le degré de cuisson voulu, insérer la sonde jusqu'au centre de la pièce de viande. Ne pas oublier que, après la période de repos, la température interne s'uniformisera et que la sonde indiquera une température plus élevée.

Le thermomètre

À défaut de sonde thermique, il est possible d'utiliser un thermomètre, à condition qu'il puisse aller au four à micro-ondes. Ne jamais utiliser un thermomètre garni d'éléments métalliques. Sortir la viande du four après la durée de cuisson minimale et y insérer le thermomètre. Continuer la cuisson jusqu'à ce que le thermomètre indique la température désirée. Sortir la pièce du four et la recouvrir d'un papier d'aluminium, côté brillant sur la surface, et laisser reposer environ 10 minutes.

Jambon à l'orange

Ingrédients

1 tranche de jambon dans la fesse, de 2,5 cm (1 po) d'épaisseur
15 ml (1 c. à soupe) de miel

10 ml (2 c. à thé) de zeste d'orange
10 ml (2 c. à thé) de jus d'orange

Préparation

— Avec une fourchette, piquer la tranche de jambon à plusieurs endroits.
— Mélanger le miel, le zeste et le jus d'orange, et verser sur le jambon.
— Déposer la tranche de jambon dans un plat, couvrir et cuire à 50 % de 8 à 12 minutes, ou jusqu'à ce qu'elle soit cuite au goût, en la retournant après 5 minutes de cuisson.
— Laisser reposer 2 minutes.

Complexité	🍴
Temps de préparation	5 min
Coût par portion	**$**
Nombre de portions	2
Valeur nutritive	243 calories 18,5 g de protéines 0,7 mg de fer
Équivalences	3 oz de viande 1/2 portion de fruits
Temps de cuisson	12 min
Temps de repos	2 min
Intensité	50 %
Inscrivez ici votre temps de cuisson	

Porc sauté aux champignons

Complexité	![pictogramme]
Temps de préparation	20 min*
Coût par portion	$
Nombre de portions	2
Valeur nutritive	253 calories 23 g de protéines 2,7 mg de fer
Équivalences	3 oz de viande 1 portion de légumes
Temps de cuisson	10 min
Temps de repos	5 min
Intensité	70 %, 100 %
Inscrivez ici votre temps de cuisson	

* La viande doit macérer 1 ou 8 heures avant la cuisson.

Ingrédients
225 g (1/2 lb) de filet de porc
125 ml (1/2 tasse) de bouillon de poulet
1 branche de céleri émincée en biseau
115 g (4 oz) de champignons émincés
sel
poivre

Marinade
10 ml (2 c. à thé) de fécule de maïs
15 ml (1 c. à soupe) de sauce soja
10 ml (2 c. à thé) de vinaigre de vin
5 ml (1 c. à thé) de miel
5 ml (1 c. à thé) de gingembre frais émincé
1 gousse d'ail broyée

Préparation
— Tailler le filet de porc en lanières de 1,25 cm (1/2 po).
— Dans un bol, mélanger tous les ingrédients de la marinade.
— Mettre la viande à macérer 1 heure à la température ambiante ou 8 heures au réfrigérateur, dans le bol couvert ; remuer à quelques reprises.
— Retirer la viande et réserver la marinade.
— Mettre le porc dans un plat, y verser la moitié du bouillon et ajouter le céleri ; couvrir et cuire de 6 à 8 minutes à 70 %, en remuant 1 fois pendant la cuisson.
— Passer la marinade au tamis et l'ajouter au reste du bouillon ; mélanger et verser sur la viande.
— Cuire à 100 % de 1 à 2 minutes, ou jusqu'à ce que la sauce prenne consistance, en remuant 2 fois ; assaisonner.
— Ajouter les champignons, couvrir et laisser reposer 5 minutes.

Cette recette est la simplicité même. Rassembler d'abord les ingrédients requis.

Mettre la viande à macérer 1 heure à la température ambiante ou 8 heures au réfrigérateur, dans un bol couvert ; remuer à quelques reprises.

Ajouter les champignons, couvrir et laisser reposer 5 minutes.

Côtelettes de porc aux fines herbes

Complexité	(icône)
Temps de préparation	10 min
Coût par portion	**$**
Nombre de portions	2
Valeur nutritive	334 calories 41,6 g de protéines 1,5 mg de fer
Équivalences	4,5 oz de viande
Temps de cuisson	12 min
Temps de repos	2 min
Inscrivez ici votre temps de cuisson	(icône)

Ingrédients
4 côtelettes de porc de 85 g (3 oz) chacune
15 ml (1 c. à soupe) de fines herbes
50 ml (1/4 tasse) de chapelure
poivre

Préparation
— Mélanger les fines herbes et la chapelure.
— Recouvrir les côtelettes de ce mélange et les disposer sur une plaque à bacon, en prenant soin d'orienter les parties les plus charnues vers l'extérieur.
— Cuire de 8 à 12 minutes à 70 %, en faisant pivoter la plaque d'un demi-tour et en retournant les côtelettes après 5 minutes de cuisson.
— Laisser reposer 2 minutes.

Rapide et facile à préparer, ce mets ne requiert que quelques ingrédients.

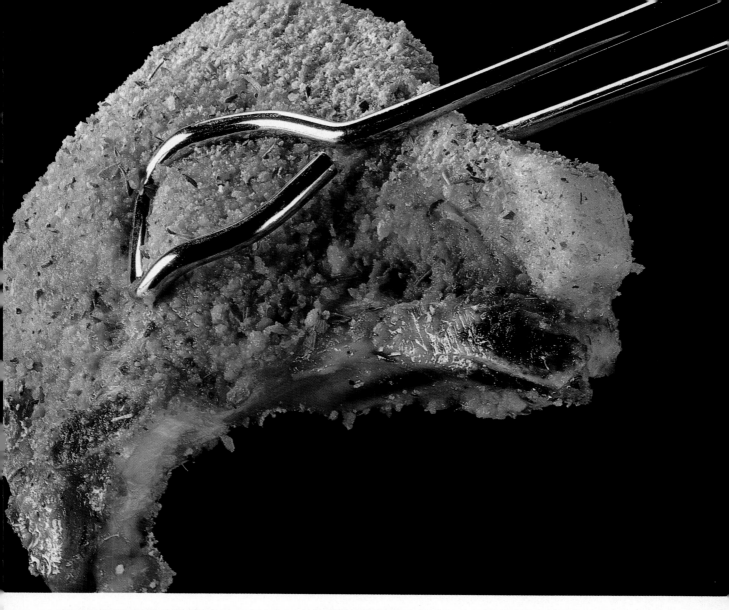

Recouvrir les côtelettes du mélange de fines herbes et de chapelure.

Disposer les côtelettes sur une plaque à bacon, en prenant soin d'orienter les parties les plus charnues vers l'extérieur.

Retourner les côtelettes après 5 minutes de cuisson pour assurer une cuisson uniforme.

Filet d'aiglefin
aux champignons

Complexité	🍴
Temps de préparation	10 min
Coût par portion	$
Nombre de portions	2
Valeur nutritive	344 calories 19,7 g de protéines 2,6 g de lipides
Équivalences	2,5 oz de viande 1 portion de légumes 3 portions de gras
Temps de cuisson	8 min
Temps de repos	2 min
Intensité	90 %, 100 %
Inscrivez ici votre temps de cuisson	

Ingrédients
225 g (1/2 lb) de filets
d'aiglefin
30 ml (2 c. à soupe) de
beurre
125 ml (1/2 tasse) de
champignons émincés
10 ml (2 c. à thé) de farine
1 ml (1/4 c. à thé) de
paprika
125 ml (1/2 tasse) de crème
à 15 %
15 ml (1 c. à soupe) de
persil
sel
poivre

Préparation
— Disposer les filets
  de poisson dans une
  assiette, en prenant soin
  d'orienter les parties les
  plus charnues vers
  l'extérieur.
— Couvrir et cuire de 3 à
  4 minutes à 90 %, en
  faisant pivoter l'assiette
  d'un demi-tour à la
  mi-cuisson.
— Laisser reposer
  2 minutes.
— Mettre le beurre dans un
  plat et y ajouter les
  champignons; cuire
  2 minutes à 100 %.
— Saupoudrer de farine et

de paprika puis
mélanger.
— Verser la crème sur le
  mélange et remuer.
— Cuire 2 minutes à 100 %,
  en remuant 1 fois
  pendant la cuisson.
— Saupoudrer de persil et
  assaisonner au goût.
— Servir les filets d'aiglefin
  accompagnés de la
  sauce.

Pour confectionner en moins de 15 minutes un repas fort nutritif et bien équilibré, réunir ces ingrédients.

Disposer les filets d'aiglefin dans une assiette, en prenant soin d'orienter les parties les plus charnues vers l'extérieur.

Saupoudrer les champignons de farine et de paprika.

Darnes de flétan

Complexité	🍴
Temps de préparation	5 min*
Coût par portion	$
Nombre de portions	2
Valeur nutritive	337 calories 37,5 g de protéines 0,8 mg de fer
Équivalences	5 oz de viande
Temps de cuisson	7 min
Temps de repos	1 min
Intensité	70 %
Inscrivez ici votre temps de cuisson	

* Le poisson doit macérer 3 heures au réfrigérateur avant la cuisson.

Ingrédients
2 darnes de flétan de 225 g (1/2 lb) chacune
30 ml (2 c. à soupe) de vin blanc
15 ml (1 c. à soupe) de jus de citron
15 ml (1 c. à soupe) d'huile
sel
poivre

Préparation
— Dans un bol, réunir le vin, le jus de citron, l'huile, le sel et le poivre et mélanger.
— Y laisser macérer les darnes à couvert, 3 heures au réfrigérateur, en les retournant à 2 reprises.
— Retirer les darnes de la marinade et réserver celle-ci.
— Disposer les darnes sur une plaque à bacon, en prenant soin d'orienter les parties les plus charnues vers l'extérieur; badigeonner de la moitié de la marinade.
— Sans couvrir, cuire 3 minutes à 70 %.
— Retourner les darnes et badigeonner du reste de la marinade.
— Poursuivre la cuisson à 70 % de 3 à 4 minutes, ou jusqu'à ce que les darnes soient cuites.
— Laisser reposer 1 minute.

Vin blanc, jus de citron, huile, sel et poivre sont les seuls ingrédients requis pour donner aux darnes de flétan une saveur incomparable.

Couvrir et laisser macérer les darnes 3 heures au réfrigérateur, en les retournant 2 fois pendant la macération.

Disposer les darnes sur une plaque à bacon, en prenant soin d'orienter les parties les plus charnues vers l'extérieur.

Entre les 2 étapes de la cuisson, badigeonner du reste de la marinade.

Filets de sole aux crevettes

Complexité	 🍴🍴
Temps de préparation	15 min
Coût par portion	$ $
Nombre de portions	2
Valeur nutritive	209 calories 29,5 g de protéines 1,9 mg de fer
Équivalences	3,5 oz de viande
Temps de cuisson	6 min
Temps de repos	2 min
Intensité	70 %
Inscrivez ici votre temps de cuisson	

Ingrédients

2 filets de sole de 225 g
(1/2 lb) chacun
115 g (4 oz) de crevettes
cuites hachées
30 ml (2 c. à soupe) de
chapelure
15 ml (1 c. à soupe) de
beurre fondu
10 ml (2 c. à thé) de persil
5 ml (1 c. à thé) de jus de
citron
sel
poivre
paprika

Préparation

— Dans un bol, mélanger
  les crevettes, la chapelure,
  le beurre, le persil et le
  jus de citron ;
  assaisonner.
— Étendre la moitié du
  mélange sur chaque filet
  de poisson.
— Rouler les filets et les
  attacher à l'aide d'un
  cure-dents.
— Mettre les filets roulés
  sur une clayette déposée
  dans un plat et
  saupoudrer de paprika.
— Cuire de 4 à 6 minutes à
  70 %, en faisant pivoter
  le plat d'un demi-tour à
  la mi-cuisson.
— Laisser reposer
  2 minutes.

*La combinaison de tous ces
ingrédients met en relief la finesse
de la chair de la sole.*

Mélanger les crevettes, la chapelure, le beurre, le persil et le jus de citron pour en farcir les filets de sole.

Rouler les filets et les attacher à l'aide d'un cure-dents.

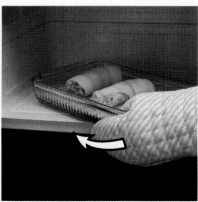

Faire pivoter le plat d'un demi-tour à la mi-cuisson pour assurer une cuisson uniforme.

Filets de sole à la créole

Complexité	🍴
Temps de préparation	15 min
Coût par portion	$
Nombre de portions	2
Valeur nutritive	149 calories 17,7 g de protéines 0,7 mg de fer
Équivalences	2,5 oz de viande 1 portion de légumes
Temps de cuisson	11 min
Temps de repos	3 min
Intensité	100 %
Inscrivez ici votre temps de cuisson	

Ingrédients
225 g (1/2 lb) de filets de sole
15 ml (1 c. à soupe) de beurre
30 ml (2 c. à soupe) d'oignon haché
30 ml (2 c. à soupe) de céleri haché
30 ml (2 c. à soupe) de poivron haché
1 gousse d'ail hachée
125 ml (1/2 tasse) de tomates pelées et égouttées
poivre

Préparation
— Mettre le beurre dans un plat et ajouter l'oignon, le céleri, le poivron et l'ail.
— Couvrir et cuire 2 minutes à 100 %, en remuant 1 fois pendant la cuisson.
— Ajouter les tomates, couvrir à nouveau et poursuivre la cuisson 3 minutes à 100 %, en remuant 1 fois pendant la cuisson.
— Retirer la moitié du mélange et déposer les filets de poisson dans le plat.
— Recouvrir le poisson de l'autre moitié du mélange ; poivrer au goût.
— Couvrir et cuire de 4 à 6 minutes à 100 %, en faisant pivoter le plat d'un demi-tour à la mi-cuisson.
— Laisser reposer 3 minutes.

Agneau à l'anglaise

Complexité	
Temps de préparation	10 min
Coût par portion	$ $
Nombre de portions	2
Valeur nutritive	538 calories 32,1 g de protéines 2,2 mg de fer
Équivalences	4 oz de viande 1 portion de légumes 5 portions de gras
Temps de cuisson	14 min
Temps de repos	aucun
Intensité	70 %, 100 %
Inscrivez ici votre temps de cuisson	

Ingrédients
4 côtelettes d'agneau
50 ml (1/4 tasse) de beurre
1 petit oignon haché
30 ml (2 c. à soupe) de farine
125 ml (1/2 tasse) de bouillon de poulet
5 ml (1 c. à thé) de gelée de groseille
5 ml (1 c. à thé) de sauce à la menthe
30 ml (2 c. à soupe) de crème à 35 %
sel
poivre

Préparation
— Préchauffer le plat à rôtir 7 minutes à 100 %, y mettre le beurre et chauffer 30 secondes à 100 %.
— Saisir les côtelettes ; couvrir et cuire de 6 à 8 minutes à 70 %, en faisant pivoter le plat d'un demi-tour à la mi-cuisson.
— Retirer les côtelettes et les garder au chaud.
— Ajouter les oignons au reste de beurre dans le plat à rôtir, couvrir et cuire 2 minutes à 100 %.
— Saupoudrer de farine et remuer pour mélanger.
— Verser le bouillon et remuer à nouveau ; cuire 2 minutes à 100 %, en remuant 1 fois pendant la cuisson.
— Ajouter la gelée de groseille, la sauce à la menthe et la crème ; remuer pour obtenir un mélange homogène et assaisonner.
— Remettre les côtelettes dans le plat, couvrir et chauffer de 1 à 2 minutes à 100 %.

Avec ces quelques ingrédients, vous obtiendrez en moins d'une demi-heure un plat d'agneau au goût incomparable.

TRUCS

Les micro-ondes et les liquides

Plusieurs facteurs déterminent l'action des micro-ondes sur les aliments.

Outre l'épaisseur, la densité, le poids, la teneur en sucre et en gras, la quantité de liquide est un des éléments les plus importants. Effectivement, la teneur en eau des aliments ainsi que la quantité de liquide qui doit être ajoutée pour la préparation d'une recette, ont un rapport direct avec l'intensité, la durée et le mode de cuisson suggérés. Généralement, plus les aliments contiennent d'eau et plus il y a de liquide à ajouter dans une préparation, plus l'action des micro-ondes sera lente, et, conséquemment, plus long sera le temps de cuisson.

Veau aux légumes

Complexité	 🍴
Temps de préparation	20 min
Coût par portion	$ $
Nombre de portions	2
Valeur nutritive	715 calories 50,5 g de protéines 7,6 mg de fer
Équivalences	6 oz de viande 3 portions de légumes 4 portions de gras
Temps de cuisson	10 min
Temps de repos	3 min
Intensité	100 %
Inscrivez ici votre temps de cuisson	

Ingrédients
250 ml (1 tasse) de veau coupé en lanières
15 ml (1 c. à soupe) de beurre
1 poivron vert coupé en lanières
1 oignon émincé
1 gousse d'ail hachée
250 ml (1 tasse) de champignons émincés
175 ml (3/4 tasse) de sauce tomate
1 ml (1/4 c. à thé) d'origan
1 pincée de basilic
sel
poivre
30 ml (2 c. à soupe) d'huile

Préparation
— Mettre le beurre dans un plat et ajouter le poivron, l'oignon et l'ail.
— Couvrir et cuire 2 minutes à 100 %.
— Ajouter les champignons et poursuivre la cuisson 2 minutes à 100 %, en remuant 1 fois pendant la cuisson.
— Laisser reposer 3 minutes.
— Pendant ce temps, mélanger la sauce tomate, l'origan, le basilic, le sel et le poivre.
— Préchauffer le plat à rôtir 7 minutes à 100 %, y verser l'huile et saisir les lanières de veau.
— Ajouter les légumes et la sauce tomate.
— Couvrir et cuire de 4 à 6 minutes à 100 %, en remuant 1 fois à la mi-cuisson.
— Laisser reposer 3 minutes.

Cette recette de veau aux légumes fait appel à des ingrédients courants. Pour épargner temps et manipulations, les rassembler avant d'en entreprendre la préparation.

Ajouter les champignons au mélange de poivron, d'oignon et d'ail cuit dans le beurre.

Saisir les lanières de veau dans le plat à rôtir contenant de l'huile.

Pain de viande à l'agneau*

Complexité	
Temps de préparation	20 min
Coût par portion	$
Nombre de portions	2
Valeur nutritive	250 calories 29 g de protéines 2,8 mg de fer
Équivalences	3 oz de viande 1/2 portion de gras
Temps de cuisson	8 min
Temps de repos	3 min
Intensité	100 %, 70 %
Inscrivez ici votre temps de cuisson	

* Ce plat peut aussi être servi froid.

Ingrédients

225 g (1/2 lb) d'agneau haché
50 ml (1/4 tasse) de riz cuit
30 ml (2 c. à soupe) de jus de tomate
1 petit œuf battu
1/2 gousse d'ail broyée
30 ml (2 c. à soupe) d'oignon finement haché
15 ml (1 c. à soupe) de sauce au chili
2 tranches de bacon coupées en moitiés

Préparation

— Bien mélanger tous les ingrédients, à l'exception du bacon.
— Répartir le mélange ainsi obtenu dans deux ramequins de même grandeur.
— Recouvrir la surface des pains de viande avec le bacon.
— Mettre les ramequins au four et cuire 1 minute à 100 %.
— Poursuivre la cuisson 5 à 7 minutes à 70 % en prenant soin de faire pivoter les plats d'un demi-tour à la mi-cuisson.
— Au sortir du four, verser et rejeter l'excès de gras.
— Laisser reposer 3 minutes avant de servir.

TRUCS

Le blanchiment rapide des légumes
- Mettre 2 tasses de légumes taillés en petits morceaux de 2,5 cm (1 po) et 50 ml (1/4 tasse) d'eau dans un sac à congélation scellé à la chaleur.

- Faire cuire 2 minutes à 100 % jusqu'à ce que les légumes revêtent une coloration uniforme et brillante.
- Retirer du four et plonger immédiatement le sac dans l'eau glacée, pour arrêter le processus de cuisson.
- Identifier le contenu du sac, inscrire la date de congélation ainsi que la durée de conservation.

Mettre au congélateur.

Congeler pour mieux décongeler
Pour les personnes qui disposent de peu de temps, il peut être utile de limiter les manipulations qu'entraînent certaines opérations culinaires. Ainsi, en congelant les aliments dans des emballages solides ou des récipients ronds, qui

peuvent passer directement du congélateur au four à micro-ondes, on évite le transfert d'aliments d'un plat à un autre. Par ailleurs, dans le cas de repas pour une ou deux personnes seulement, congeler les aliments en portions individuelles. La décongélation et la cuisson n'en seront que plus simples.

Omelette campagnarde

Complexité	🍴🍴
Temps de préparation	15 min
Coût par portion	$
Nombre de portions	2
Valeur nutritive	293 calories 17,3 g de protéines 3,1 mg de fer
Équivalences	2,5 oz de viande 1 portion de légumes 1/2 portion de pain 1 portion de gras
Temps de cuisson	9 min
Temps de repos	4 min
Intensité	100 %
Inscrivez ici votre temps de cuisson	

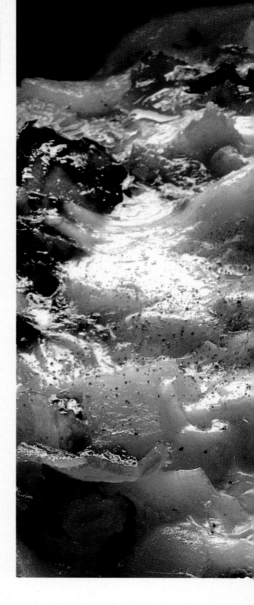

Ingrédients
3 gros œufs
2 tranches de bacon coupées en morceaux
1 oignon grossièrement haché
1 pomme de terre cuite coupée en dés
6 champignons émincés
30 ml (2 c. à soupe) de lait
1 pincée de fines herbes
sel
poivre
50 ml (1/4 tasse) de gruyère râpé
paprika

Préparation
— Disposer le bacon dans un plat et cuire 2 minutes à 100 %.
— Ajouter l'oignon et les pommes de terre; couvrir et cuire 2 minutes à 100 %, en remuant 1 fois pendant la cuisson.
— Incorporer les champignons et couvrir à nouveau; poursuivre la cuisson à 100 % 1 minute.
— Remuer et laisser reposer 2 minutes.
— Dans un bol, battre les œufs puis ajouter le lait et les fines herbes; assaisonner.
— Verser sur le mélange de légumes et remuer.
— Cuire 1 minute à 100 % et remuer.
— Poursuivre la cuisson à 100 % de 1 à 2 minutes.
— Garnir de gruyère et saupoudrer de paprika.
— Cuire 1 minute à 100 %.
— Laisser reposer 2 minutes.

Pour obtenir en moins d'une demi-heure une savoureuse omelette, rassembler ces ingrédients.

Incorporer les champignons au mélange de bacon, d'oignon et de pommes de terre.

Remuer les œufs après 1 minute de cuisson.

Riz aux légumes

Complexité	
Temps de préparation	20 min
Coût par portion	$
Nombre de portions	2
Valeur nutritive	149 calories 5,5 g de protéines 33,2 g de glucides
Équivalences	2 1/2 portions de légumes 1 portion de pain
Temps de cuisson	15 min
Temps de repos	5 min
Intensité	100 %, 70 %
Inscrivez ici votre temps de cuisson	

Ingrédients

125 ml (1/2 tasse) de riz à grains longs
2 blancs de poireaux émincés
1 carotte coupée en dés
1 oignon émincé
250 ml (1 tasse) de bouillon de poulet chaud
2 ml (1/2 c. à thé) de cumin
2 ml (1/2 c. à thé) de coriandre
1 pincée de cayenne
sel
poivre
1/2 pomme, pelée et hachée grossièrement

Préparation

— Mettre les blancs de poireaux, la carotte et l'oignon dans un plat, et y ajouter le quart du bouillon.
— Couvrir et cuire de 3 à 4 minutes à 100 %, en remuant 1 fois à la mi-cuisson.
— Ajouter le reste de bouillon et tous les autres ingrédients, sauf la pomme.
— Cuire 3 minutes à 100 %.
— Remuer et régler l'intensité à 70 % ; poursuivre la cuisson de 6 à 8 minutes.
— Ajouter la pomme et remuer.
— Couvrir et laisser reposer 5 minutes.

Pour obtenir en un tournemain un riz des plus savoureux, rassembler ces ingrédients.

Cuire les blancs de poireaux, la carotte et l'oignon dans 50 ml (1/4 tasse) de bouillon de poulet.

TRUCS

Savoir choisir ses poireaux
On cherchera à l'achat un poireau lisse, aux tiges droites et épaisses, blanches, présentant des extrémités de couleur verte.

Le poireau se conserve environ une semaine au réfrigérateur. Bien laver avant la cuisson car sable et terre sont parfois difficiles à déloger entre les feuilles très serrées les unes contre les autres.

Gâteaux sablés aux fraises

Complexité	 (icône couverts)
Temps de préparation	15 min*
Coût par portion	$
Nombre de portions	2
Valeur nutritive	410 calories 6 g de protéines 25 g de glucides
Équivalences	1 1/2 portion de fruits 1 portion de pain 5 portions de gras
Temps de cuisson	2 min
Temps de repos	5 min
Intensité	70 %
Inscrivez ici votre temps de cuisson	

* **Les gâteaux doivent être refroidis avant d'être fourrés.**

Ingrédients
90 ml (6 c. à soupe) de farine
2 ml (1/2 c. à thé) de poudre à pâte
1 pincée de sel
45 ml (3 c. à soupe) de beurre
15 ml (1 c. à soupe) de sucre
2 jaunes d'œufs
10 fraises
125 ml (1/2 tasse) de crème à 35 %, fouettée

Préparation
— Mélanger la farine, la poudre à pâte et le sel ; réserver.
— Battre le beurre et le sucre, et incorporer les jaunes d'œufs ; ajouter le mélange de farine.
— Enduire le fond de 2 ramequins de substance anti-adhésive (de type Pam) et verser une égale quantité de préparation dans chacun d'eux.
— Surélever les ramequins dans le four et cuire de 1 1/2 à 2 minutes à 70 %, en faisant pivoter les ramequins d'un demi-tour à la mi-cuisson.
— Laisser reposer 5 minutes.
— Démouler les gâteaux et les laisser refroidir.
— Couper les gâteaux en deux et les fourrer de la moitié de la crème fouettée et des fraises.
— Garnir de l'autre moitié de crème fouettée et de fraises.

Il suffit de réunir ces ingrédients pour obtenir un dessert exquis qui convient à toutes les occasions.

Après avoir enduit le fond des ramequins de substance anti-adhésive, verser une égale quantité de préparation dans chacun d'eux.

Pour décongeler de petites portions
Pour décongeler la moitié d'un sac de légumes surgelés, ou congelés à la maison, envelopper la partie non désirée du paquet dans du papier d'aluminium et le placer au four. Une fois que la partie non emballée est décongelée, remettre le reste des légumes au congélateur, dans un contenant étanche.

Petits gâteaux au fromage

Complexité	
Temps de préparation	20 min*
Coût par portion	$
Nombre de portions	2
Valeur nutritive	255 calories 4,4 g de protéines 23,2 mg de fer
Équivalences	1 oz de viande 1 portion de fruits 1 portion de pain 1 portion de gras
Temps de cuisson	2 min 10 s
Temps de repos	aucun
Intensité	90 %, 70 %, 100 %
Inscrivez ici votre temps de cuisson	

* La garniture doit être refroidie avant d'être versée dans les croûtes.

Ingrédients
Pâte
5 ml (1 c. à thé) de beurre ramolli
15 ml (1 c. à soupe) de sucre
30 ml (2 c. à soupe) de farine
Garniture
60 ml (2 oz) de fromage à la crème
1 jaune d'œuf
15 ml (1 c. à soupe) de sucre
15 ml (1 c. à soupe) de jus d'orange
2 ml (1/2 c. à thé) de zeste d'orange
1 pincée de muscade
1 pincée de sel

Glace
10 ml (2 c. à thé) de confiture d'abricots
5 ml (1 c. à thé) de jus d'orange

Préparation
— Foncer 2 ramequins de moules de papier n° 75.
— Mélanger tous les ingrédients de la pâte et verser une égale quantité de préparation dans chaque ramequin.
— Presser la surface du mélange, en allant du fond vers les bords.
— Surélever les ramequins dans le four et cuire de

30 à 40 secondes à 90 % ; réserver.
— Pour préparer la garniture, battre d'abord le fromage ; ajouter l'œuf et battre à nouveau.
— Incorporer le sucre, le jus et le zeste de citron ; ajouter la muscade et le sel puis mélanger.
— Verser une égale quantité du mélange dans chacune des croûtes.

— Surélever les ramequins
   dans le four et cuire de
   45 à 60 secondes à 70 %.
— Laisser refroidir.
— Pour préparer la glace,
   mélanger la confiture et
   le jus d'orange, puis
   cuire de 20 à
   30 secondes à 100 %.
— Glacer les petits gâteaux
   avant de servir.

*Pour épargner du temps, réunir
d'abord les ingrédients requis pour
la préparation de cette recette.*

*Presser la surface de la pâte, en
allant du fond vers les bords, avant
de procéder à la cuisson.*

Crème Chantilly aux amandes

Complexité	
Temps de préparation	15 min*
Coût par portion	$ $
Nombre de portions	2
Valeur nutritive	550 calories 7,6 g de protéines 47,6 g de lipides
Équivalences	1 oz de viande 1 portion de sucre (1 c. à table) 9 1/2 portions de gras
Temps de cuisson	1 min 30
Temps de repos	aucun
Intensité	100 %
Inscrivez ici votre temps de cuisson	

* **Les amandes doivent refroidir en cours de préparation.**

Ingrédients
1 blanc d'œuf
30 ml (2 c. à soupe) de sucre
75 ml (1/3 tasse) d'amandes
45 ml (3 c. à soupe) de beurre
125 ml (1/2 tasse) de crème à 35 %
15 ml (1 c. à soupe) de crème de cacao

Préparation
— Dans un bol, battre le blanc d'œuf en neige et y ajouter la moitié du sucre.
— Mettre les amandes et le beurre dans un plat et cuire à 100 % de 1 à 1 1/2 minute, ou jusqu'à ce que les amandes soient rôties, en remuant 1 fois pendant la cuisson.
— Laisser refroidir.
— Broyer la moitié des amandes.
— Fouetter la crème et ajouter le reste du sucre.
— Incorporer la crème de cacao et les amandes broyées ; ajouter au blanc d'œuf.
— Verser la préparation dans des coupes et garnir du reste d'amandes avant de servir.

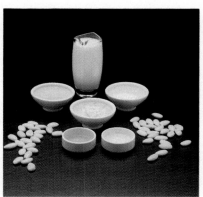

Réunir d'abord les ingrédient de ce
savoureux dessert.

Dans un bol, fouetter la crème et
ajouter le reste du sucre.

Incorporer la crème de cacao et les
amandes broyées ; ajouter au blanc
d'œuf monté en neige.

Votre table d'hôte

Au menu
Demi-pêches garnies de mousse de crevettes
Truites aux câpres
Salade de champignons et de chou-fleur
Ananas garni

Pour séduire tant les cœurs amoureux que les palais des solitaires, nous avons imaginé une table d'hôte où se côtoient douceur, raffinement et fraîcheur. En guise d'entrée, les demi-pêches garnies de mousse de crevettes sauront exciter même les appétits d'oiseau. Puis en dégustant la délicieuse truite aux câpres, les fines bouches ne pourront qu'en louanger la saveur à la fois subtile et relevée. Et que dire de la salade intégrant harmonieusement champignons et chou-fleur. À vous de découvrir maintenant ces régals gastronomiques, en n'oubliant pas l'ananas garni en guise de dessert !

De la recette à votre table

Même si les convives sont peu nombreux, un repas mal planifié peut vite devenir une corvée, voire un problème. Un repas complet préparé au four à micro-ondes se planifie, il va sans dire, de la même façon que si l'on faisait appel à un four traditionnel. Seuls les temps de cuisson et de réchauffage changent...

Le matin précédant le repas...
Préparer la salade de champignons et de chou-fleur, sans y ajouter la vinaigrette.
Préparer la mousse de crevettes.
2 heures avant...
Préparer l'ananas garni.
1 heure avant...
Incorporer la vinaigrette à la salade.
45 minutes avant...
Faire macérer les truites.
15 minutes avant...
Cuire les truites.
10 minutes avant...
Préparer les demi-pêches.

Demi-pêches garnies
de mousse de crevettes

Ingrédients

2 pêches
115 g (1/4 lb) de crevettes
cuites, hachées
50 ml (1/4 tasse) de céleri
finement haché
15 ml (1 c. à soupe) de
persil frais, haché
15 ml (1 c. à soupe) de
crème à 35 %
15 ml (1 c. à soupe) de
beurre fondu
10 ml (2 c. à thé) de cognac
laitue

Préparation

— Dans un bol, mélanger
les crevettes, le céleri et
le persil ; passer au
mélangeur pour obtenir
une consistance
crémeuse.
— Ajouter la crème, le
beurre et le cognac.
— Réduire le mélange en
purée.
— Couvrir et réfrigérer
1 heure.
— Peler les pêches, les
couper en deux et les
dénoyauter.
— Farcir les demi-pêches
de la mousse et les
disposer sur un lit de
laitue avant de servir.

Salade de champignons et de chou-fleur

Ingrédients
1/2 chou-fleur
10 gros champignons
1/2 citron
30 ml (2 c. à soupe) de
parmesan râpé
Vinaigrette
5 ml (1 c. à thé) de
moutarde de Dijon
15 ml (1 c. à soupe) de
persil frais, haché
45 ml (3 c. à soupe) de
vinaigre de vin
125 ml (1/2 tasse) d'huile
sel
poivre

Préparation
— Tailler le chou-fleur en
  bouquets et les rincer.
— Disposer les bouquets
  de chou-fleur dans un
  plat, couvrir et cuire de
  3 à 4 minutes à 100 %.
— Égoutter le chou-fleur et
  laisser refroidir.
— Émincer les champignons
  et les disposer dans un
  saladier, avec les
  bouquets de chou-fleur.
— Presser le demi-citron,
  au-dessus des légumes ;
  réserver.

— Préparer la vinaigrette
  en mélangeant la
  moutarde, le persil et le
  vinaigre de vin ; en
  remuant constamment,
  incorporer l'huile en un
  mince filet ; assaisonner
  au goût.
— Verser la vinaigrette sur
  les légumes et
  saupoudrer de parmesan
  avant de servir.

Truites aux câpres

Complexité	(icône)
Temps de préparation	10 min*
Coût par portion	$ $
Nombre de portions	2
Valeur nutritive	759 calories 40,9 g de protéines 67,7 g de lipides
Équivalences	7 oz de viande 5 portions de gras
Temps de cuisson	7 min
Temps de repos	3 min
Intensité	70 %
Inscrivez ici votre temps de cuisson	

* **Les truites doivent macérer 30 minutes avant la cuisson.**

Ingrédients

2 truites, parées
30 ml (2 c. à soupe) de jus de citron
30 ml (2 c. à soupe) d'huile
1 ml (1/4 c. à thé) de marjolaine
2 ml (1/2 c. à thé) de zeste de citron râpé
30 ml (2 c. à soupe) de câpres
50 ml (1/4 tasse) d'huile

Préparation

— Dans un bol, réunir le jus de citron, l'huile, la marjolaine et le zeste de citron, puis mélanger pour obtenir la marinade.
— Déposer les truites dans la marinade, en veillant à ce qu'elles en soient bien enrobées.
— Laisser macérer 30 minutes, en les retournant à quelques reprises.
— Retirer les truites et les égoutter; réserver la marinade.
— Préchauffer le plat à rôtir 7 minutes à 100 %, y verser l'huile et chauffer 30 secondes à 100 %.
— Saisir les truites sur chacun de leurs côtés et ajouter la marinade.
— Couvrir et régler l'intensité à 70 %.
— Cuire de 5 à 7 minutes, en faisant pivoter le plat d'un demi-tour à la mi-cuisson.
— Parsemer de câpres et laisser reposer 3 minutes avant de servir.

Ananas garni

Ingrédients
1 petit ananas
125 ml (1/2 tasse) de fraises
60 ml (4 c. à soupe) de sucre
30 ml (2 c. à soupe) de kirsch
50 ml (1/4 tasse) de crème à 35 %, fouettée

Préparation
— Avec un couteau bien aiguisé, couper l'ananas en deux.
— Évider et réserver l'écorce ; tailler la pulpe en petits cubes.
— Mélanger la pulpe d'ananas et les fraises ; en verser une égale quantité dans chaque moitié d'écorce.
— Saupoudrer de sucre et arroser de kirsch.
— Garnir de crème fouettée.

Cuisson des légumes

Pourquoi vous priver de vos légumes préférés, alors que ces aliments se préparent en un tournemain au four à micro-ondes. Le tableau ci-contre contient des renseignements utiles à cet égard. Pour en savoir plus, consultez le tome de la Grande Collection consacré aux légumes ; ils ne recèleront plus aucun secret pour vous !

Légume frais	Quantité	Eau	Durée de cuisson à 100 % (en min)
Asperge	225 g (1/2 lb)	50 ml (1/4 t.)	5 à 6
Betterave	225 g (1/2 lb)	80 ml (1/3 t.)	7 à 9
Brocoli	1/2 pied défait	30 ml (2 c. à soupe)	4 à 6
Carotte	225 g (1/2 lb)	50 ml (1/4 t.)	8 à 10
Céleri émincé	125 ml (1/2 t.)	15 ml (1 c. à soupe)	4 à 5
Champignon	225 g (8 oz)		2 à 3
Chou de Bruxelles	225 g (1/2 lb)	30 ml (2 c. à soupe)	5 à 7
Chou-fleur (défait)	1 petit	30 ml (2 c. à soupe)	5 à 6
Chou vert râpé	250 ml (1 t.)	30 ml (2 c. à soupe)	3 à 5
Courgette	225 g (1/2 lb)	30 ml (2 c. à soupe)	4 à 6
Endive	4	30 ml (2 c. à soupe)	3 à 5
Épinard	225 g (1/2 lb)		2 à 3
Haricot	225 g (1/2 lb)	50 ml (1/4 t.)	6 à 9
Maïs	1	(pas d'eau)	3 à 4
	2	(pas d'eau)	5 à 6
Panais en cubes	225 g (1/2 lb)	50 ml (1/4 t.)	5 à 7
Poireau	4	30 ml (2 c. à soupe)	3 à 5
Poivron	2	30 ml (2 c. à soupe)	3 à 5
Pomme de terre (entière)	1	(pas d'eau)	2 à 3
	2	(pas d'eau)	3 à 4
Rutabaga en cubes	225 g (1/2 lb)	50 ml (1/4 t.)	5 à 7

Les mots du vin

Vous est-il déja arrivé de vouloir vanter les qualités d'un vin que vous avez apprécié et de ne pas trouver les mots pour décrire son arôme particulier et sa saveur unique ? Nous avons préparé à votre intention une liste sommaire des mots les plus fréquemment utilisés dans le vocabulaire viticole.

Acide : Se dit d'un vin au goût extrêmement sec.

Arôme : Odeur caractéristique de chaque vin, selon la variété des raisins dont il est issu.

Bouchonné : Se dit d'un vin dont le goût a pris celui du bouchon. Cette saveur désagréable, qui rend le vin imbuvable, est provoquée par une maladie du liège.

Bouquet : Qualités olfactives du vin acquises en cours de vieillissement.

Brut : Se dit d'un champagne très sec.

Caractère : Ce qui fait qu'un vin a des qualités marquées et qu'on reconnaît aisément.

Corsé : Généreusement coloré et ayant du caractère.

Délicat : Léger et plutôt raffiné. Un vin délicat ne peut cependant se prévaloir du titre de grand vin.

Frais : Jeune, fruité et acide juste à point.

Fruité : Dont la saveur s'apparente beaucoup à celle du raisin.

Nouveau : Se dit d'un rouge qui a moins d'un an d'âge.

Racé : Distingué, de classe.

Robe : Couleur du vin.

Sec : Dont les sucres sont presque entièrement transformés dans le processus de fermentation. Qualifie surtout les blancs.

Vendanges : Cueillette des raisins mûrs dans le but d'en faire du vin.

Vert : Se dit d'un vin contenant un taux d'acidité dépassant la norme, dû à l'emploi de raisins non matures.

Vineux : Ne présentant aucune finesse et fortement alcoolisé.

La production et le commerce des vins ont pris une importance telle, qu'il devenait impérieux pour les pouvoirs publics d'intervenir en vue d'assurer non seulement la protection des consommateurs mais aussi celle des producteurs. C'est dans cette perspective que des législations fort complexes, en France du moins, ont été adoptées. La législation française reconnaît trois catégories de vin : le vin d'appellation d'origine contrôlée, le vin délimité de qualité supérieure et le vin de table.

Appellation d'origine contrôlée : Cette appellation indique à la fois le lieu d'où provient le vin et sa qualité dérivant des méthodes de culture et de vinification particulières à son lieu d'origine.
Le contrôle de l'origine d'un vin donné s'exerce sur les aspects suivants :
1. la zone de production ;
2. les variétés de vigne autorisées ;
3. la teneur minimale en alcool ;
4. les pratiques viticoles (sol, taille de la vigne) ;
5. la quantité ;
6. les pratiques de vinification (vieillissement du vin, contrôle de son goût, etc.).

Vin délimité de qualité supérieure : Se retrouvent dans cette catégorie des vins qui, assez bons pour être soumis à un contrôle de qualité, n'ont pas suffisamment d'envergure pour être classés dans la catégorie précédente. La législation française contrôle les aspects suivants des vins de cette catégorie :
1. les variétés de raison ;
2. la teneur minimale en alcool ;
3. la zone de production.

Vin de table : Catégorie qui comprend des vins de consommation courante, en vente chez les détaillants de vins et spiritueux, fabriqués à partir de vins de divers pays. L'étiquette apposée sur la bouteille doit en indiquer le contenu ainsi que la teneur en alcool.

Les vins d'accompagnement
Seul ou avec des convives, il est toujours agréable d'arroser un repas d'un bon vin. Voici une petite liste des vins et des aliments qu'ils rehaussent particulièrement bien.
Vins blancs secs : œufs, hors-d'œuvre, poissons, volaille, fruits de mer, veau, fromages.
Vins blancs doux et fruités : poissons et fruits de mer épicés, plats comprenant des fruits, plats en sauce à la crème.
Champagne brut : se boit tout au long du repas.
Vins rouges corsés : viandes rouges et fromages relevés, plats avec sauce tomate.
Vins rouges légers : viandes blanches, volaille, agneau, charcuterie, fromages.

Les ustensiles et les plats pour la cuisine au four à micro-ondes

Si vous venez de vous procurer un four à micro-ondes, ne vous précipitez pas au magasin pour vous équiper d'une batterie complète de plats de cuisson. La plupart des récipients de plastique et de verre vont au four à micro-ondes. Cependant, si vous désirez acheter des récipients conçus spécialement pour ce type de four, voici, accompagnée d'une brève description, une liste de plats que vous pourrez utiliser fréquemment :

Cocotte : Plat aux bords relevés, tout indiqué pour la cuisson des plats mijotés ou composés de plusieurs ingrédients.

Clayette : Sorte de grille ou support que l'on place dans le fond d'un plat afin de permettre l'écoulement du jus des aliments en cours de cuisson. S'apparente à la plaque à bacon.

Faitout : Récipient de verre ou de pyrex dont la forme rappelle celle de la tasse à mesurer. Plus gros cependant, le faitout, qui est aussi gradué, sert principalement à mélanger les ingrédients, que l'on peut également y cuire.

Moule tubulaire : Récipient en forme de couronne et percé d'une cheminée qui assure une cuisson uniforme des aliments. On peut également l'utiliser pour mouler des aliments destinés à être congelés.

Plaque à bacon : À cause de son fond strié qui empêche les aliments de baigner dans leur jus de cuisson, la plaque à bacon convient non seulement à la cuisson du bacon mais aussi à celle du poisson, de la volaille et de la viande, ainsi qu'à la décongélation.

Plat à rôtir : Le seul de la panoplie à être muni d'un revêtement en ferrite (substance qui absorbe la chaleur créée par les micro-ondes), le plat à rôtir est utilisé pour saisir les viandes ou les faire rissoler avant la cuisson et pour faire sauter les légumes préparés « à la chinoise ».

Plat avec couvercle : L'utilisation d'un plat muni d'un couvercle est recommandée pour la cuisson de plusieurs mets. La cuisson à couvert empêche le dessèchement des aliments puisque la vapeur est emprisonnée.

Index

Ont collaboré à la Grande Collection
Micro-Ondes :

**Choix de recettes et assistance
technique :**
École de cuisine Bachand-Bissonnette
Conseillers culinaires :
Michèle Émond, Denis Bissonnette
Diététiste :
Christiane Barbeau
Photos :
Laramée Morel Communications
Audio-Visuelles
Assisté de : Robert Légaré
Julie Léger
Pierre Tison
Alain Bosman
Stylisme :
Claudette Taillefer
Adjoints : Anne Gagné
Nathalie Deslauriers
Sylvain Lavoie
Accessoiriste : Andrée Cournoyer
Rédaction : Communications
La Griffe Inc.
Révision des textes : Cap et bc inc.
Typographie :
Monique Magnan
Montage : Marc Vallières
Vital Lapalme
Carole Garon
Jean-Pierre Larose
Daniel Pelletier

Directeur de la production :
Gilles Chamberland
Illustrateur :
Luc Métivier
**Directeur artistique
et responsable du projet :**
Bernard Lamy
Conseillers spéciaux :
Roger Aubin
Joseph R. De Varennes
Gaston Lavoie
Kenneth H. Pearson
Réalisation :
Le Groupe Polygone Éditeurs Inc.